現場で
差がつく！

ユーキャンの

新人

登録販売者お仕事マニュアル

第2版

おことわり

本書記載内容は2022年3月現在のものです。法改正・正誤等の情報により、変更が生じた場合、下記「ユーキャンの本」ウェブサイト内「追補（法改正・正誤）」においてお知らせ致します。

https://www.u-can.co.jp/book/information

はじめに

「登録販売者におすすめの参考書はありますか？」

新人登録販売者の研修講師をしていると、よくこのように聞かれます。

一般用医薬品について書かれている本をいろいろと手にとってみましたが、分厚い、専門用語が並んでいる、知識の羅列など、特に新人の登録販売者が読んだ翌日から役立てるのはむずかしく思えました。

そこで、登録販売者の資格をとったばかりの人がお店で働くにあたり、注意したいこと、覚えておいていただきたいことから、基礎的な内容に絞った書籍、簡単に読める書籍が必要だと考え、本書を執筆しました。実際の業務にすぐに役立てていただけるように内容と構成をくふうしています。

本書の一番の特徴は、お客様の訴えに対し、どのような質問をして、どのような流れで薬を提案するかをチャートで示していることです。

提案する薬はどのお店でも扱われていると思われる代表的なものをピックアップしましたが、「この商品は自分のお店では扱っていない」ということもあるでしょう。そんな時には自分が売りたい商品や必要な情報をチャートに書き加え、自分だけのチャートを作っていってください。そうすることで本書は「自分だけの参考書」となり、きっとあなたのかけがえのない財産になります。

誰もがはじめは完璧な接客や販売はできません。しかし、薬の販売には正確さが求められることもまた事実です。登録販売者のみなさまが、本書を読んで終わりにするだけでなく、お客様に向けてどう実践していくかを考える手がかりとなれば幸いです。

販売や相談対応を通じて、ひとりでも多くのお客様の力になれるように、登録販売者のプロフェッショナルとして店頭で活躍されることを楽しみにしております。

2022年7月

薬剤師・昭和大学薬学部客員講師・日本薬業研修センター講師　高橋伊津美

目次

[第3章]

接客スキルアップに役立つ！プラスワン基礎知識

[付録]

本書の使い方

●イントロダクション

登録販売者の心得、お客様対応の準備等を説明しています。

●第１章
医薬品販売の基本をマスターしよう

登録販売者が業務内容としてどのようなことを行う必要があるのか、基本となるポイントを解説しています。

●第３章
接客スキルアップに役立つ!プラスワン基礎知識

持病があるお客様への対応、オーラルケアやスキンケアなど、知っておくとより接客に役立つ内容を解説しています。

●付録

観光客や留学生など、外国からのお客様への対応に便利な、日本語と英語、韓国語、中国語（簡体字）、中国語（繁体字）の対応表を掲載しています。

第2章　チャートでわかる!お客様の訴えに応じた医薬品の提案 の使い方

第２章では、店頭でお客様から問い合わせの多い薬を１０項目選んで掲載しています。各項目では下記のように来店されたお客様から症状の聴き取りを行い、要望に合った市販薬を提案するまでの流れを順に解説しています。なお、市販薬について実際の商品名と成分名で掲載しました。実践的な知識を身につける際に役立ちます。

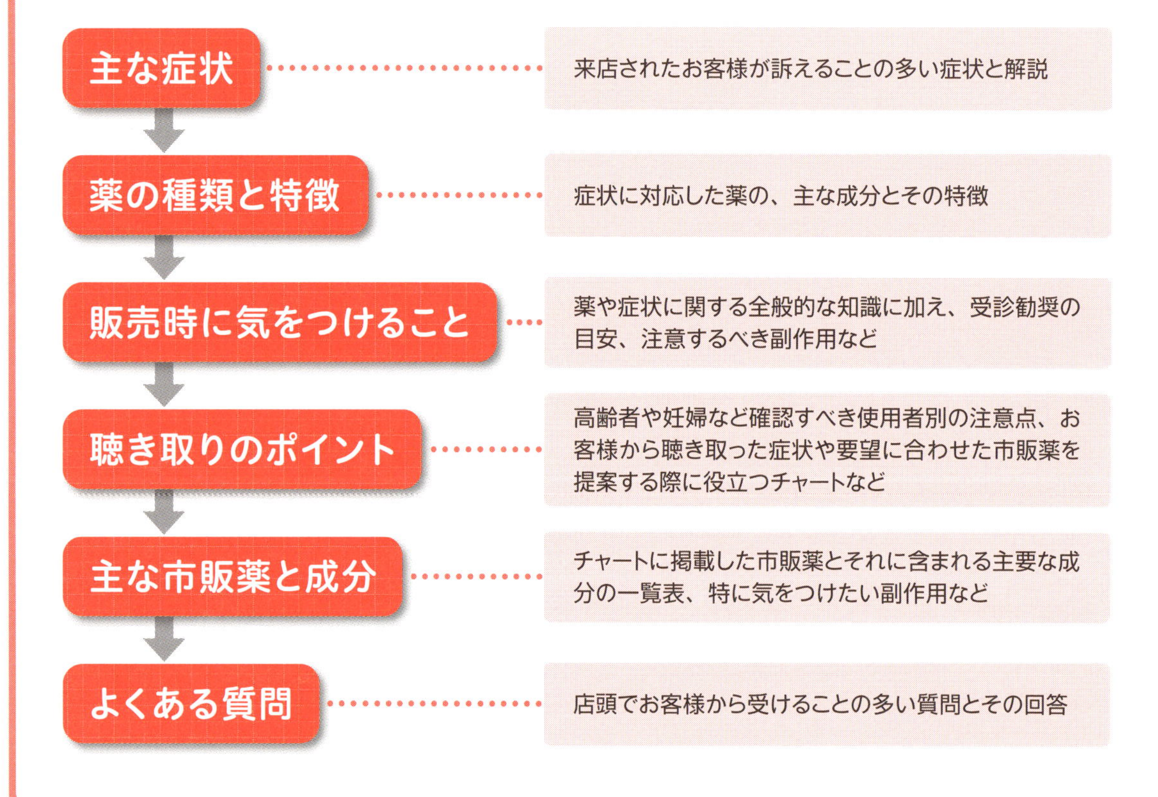

［イントロダクション］

登録販売者として働くために

● キャラクター紹介

ハシビロコウ

就業10年のベテラン

スカンク

新人！ やる気マンマン、
不安半分。

薬のことなら
まかせて！

お薬三兄弟

読者のために
言葉を話せるように
なった薬たち

1 登録販売者の役割とは

登録販売者は一般用医薬品（OTC医薬品）を販売するための専門資格です。その役割と働く際の注意点をもう一度確認しておきましょう。

登録販売者とは?

登録販売者は、2009年の旧薬事法改正に伴い創設された、一般用医薬品を販売できる薬の専門家です。これまで医薬品の販売は薬剤師にしか許されていなかったものの、**薬剤師が不在の場合、相談や購入ができないという問題**がありました。**これを解決するため、登録販売者制度が誕生**しました。一度資格を取得すれば全国どこでも働くことができ、薬剤師不足がさけばれる中、**身近な医薬品販売のプロフェッショナル**としてさらなる活躍が期待される資格です。

旧薬事法とは現在の医薬品医療機器等法（薬機法）のことです

資格を取ればすぐに働けるの？

試験に合格したら、まずは登録販売者として働くための手続きをしましょう。勤務先所在地の都道府県に**販売従事登録申請**を行い、「販売従事登録証」を交付してもらいます。しかし、これでもまだ「一人前」ではありません。登録販売者として一人で薬の販売をするためには、**過去５年間で２年の実務経験（月80時間以上）**が必要になり、その間は「研修中の登録販売者」として薬剤師や先輩登録販売者の指導を受けながら経験を積まなければなりません。

登録販売者の役割とは？

登録販売者とは第二類・第三類医薬品を販売できる資格です。さらに登録販売者の役割には、「**お客様のセルフメディケーションのお手伝い**」があります。

セルフメディケーションとは、世界保健機関（WHO）によると「自分自身の健康に責任を持ち、軽度な身体の不調は自分で手当てすること」と定義されています。たとえば、いわゆる風邪のように軽度な身体の不調には、適切な一般用医薬品を正しく使用してもらうことが必要です。そして一般用医薬品では対処できないような重度の不調に対しては、病院への受診を促すこと（**受診勧奨**）も求められます。

登録販売者は幅広い知識が必要とされる仕事なので、働き始めた頃は特に苦労することと思います。しかし、その分大きなやりがいがある仕事でもあるのです。お客様が健康な生活をおくれるように、**お客様の視点に立って適切な選択を行えるようにスキルアップ**していきましょう。

2 登録販売者が販売できる医薬品を確認しよう

登録販売者はすべての一般用医薬品が販売できるわけではありません。
何が販売でき、何が販売できないのか、
リスク分類を踏まえながらきちんと確認しておきましょう。

＊第一類をのぞく
＊＊第二類をのぞく

一般用医薬品と医療用医薬品はどう違う？

医療用医薬品とは、**医師が診断**に基づいてひとりひとりの症状に合った処方もしくは指示で、薬剤師が調剤し提供する医薬品です。

一方、**一般用医薬品**とは、薬剤師や登録販売者から提供された情報に基づき、**消費者がみずからの選択**で購入し使用する医薬品です。その特徴は、人体に対する作用が医療用医薬品にくらべて穏やかであることです。しかし、作用が穏やかでも、適切でない医薬品を誤用した場合など、人体に悪影響をおよぼす可能性は十分にあります。これを防ぐためには、消費者みずからが適切な医薬品を選択し、正しく使用できるよう登録販売者がサポートすることが重要です。

一般用医薬品（OTC医薬品）のリスク分類

一般用医薬品はリスクの程度に応じて、第一類から第三類医薬品までの３つのグループに分類されています。このうち、**登録販売者が販売できるのは第二類・第三類医薬品のみ**ですが、一般用医薬品の約９割の薬を販売できます。このリスク分類によって、販売時の情報提供とお客様の相談対応も異なります。

- **第二類医薬品販売時の情報提供→【努力義務】**
  - 必要に応じていつでも安全な使用に関する情報提供を行う
- **第三類医薬品販売時の情報提供→【法律上の規定なし】**
  - お客様から要望があった際に必要な情報を提供する

なお、**お客様の相談対応**は、第二類・第三類医薬品ともに「**義務**」なので、いつでも相談に対応できるよう準備をしておきましょう。

ダイレクトOTC医薬品とスイッチOTC医薬品

ダイレクトOTC医薬品とは、日本国内で医療用医薬品として使用された実績がなく、一般用医薬品でも使われたことのない成分を含んだ医薬品が、市販薬として直接販売されるものです。使用に関してさまざまな条件や注意事項があり、販売時には**薬剤師からの説明が義務化**されています。

例 **リアップ（ミノキシジル）、プレフェミン（チェストベリー）、**
アンチスタックス（赤ブドウ葉乾燥エキス）

スイッチOTC医薬品とは、医療用医薬品として長年使用されてきた有効成分の中で、比較的副作用が少なく安全性が高いものを、処方箋なしで購入できるようにスイッチ（転用）された医薬品です。医療用医薬品として使用されてきたため、薬の作用は一般用医薬品より比較的強いとされています。使用上の注意点も多いことから、**販売時にはリスク分類に応じて薬剤師や登録販売者からの説明が必要**です。

例 **ガスター10（ファモチジン）、ロキソニンS（ロキソプロフェン）、**
アレグラFX（フェキソフェナジン）など

3 実際の業務で「生きた知識」を手に入れよう

試験勉強のように、机の上で学ぶ知識は大切です。
しかし、それ以上に大切なのが実践です。学んで終わりではなく、
実践することで「生きた知識」を手に入れていきましょう。

わからないことがあって当たりまえ

登録販売者の試験では、身体の構造や医薬品にかかわる法律、薬の作用、副作用や注意点など、広い知識が必要とされ、苦戦したことと思います。もちろん、その知識はすべて業務に役立つものです。

しかし実際に働き始めると、わからないことだらけ。**試験勉強の知識だけでは足りない**ことに気づくでしょう。

「熱が出た」「けがをした」「よく効く薬が欲しい」「はがれにくい湿布はどれ？」など、お客様ごとに相談内容は異なり、その対応には試験勉強と異なる知識が必要です。実際の業務で使える「**生きた知識**」を新たに身につける必要があるのです。

失敗をおそれると成長の機会をのがしてしまう

新人登録販売者の中には「**失敗することが怖いのでなるべく接客はしたくない**」という人もいます。

しかし、いろいろな接客を経験すればするほど、その分だけ生きた知識が手に入ります。接客がうまくいくときもあれば、クレームにつながるような失敗をしてしまうこともあるでしょう。たとえ失敗してしまったとしても、そこには成長できるヒントが必ず存在し、そのヒントをたくさん集めていくことで、**登録販売者としてレベルアップ**できるのです。怖がらず、積極的に自分からお客様に声をかけていきましょう。

成分名はしっかり覚えた！でも…

医薬品を取り扱う以上、登録販売者という職務には、慎重さが求められます。たとえば、職務経験が浅い場合、商品名と中に配合されている成分名が一致せず、接客時にパッケージの裏に書いてある成分名を確認しながら対応することがあるかもしれません。それも大切ですが、いつまでたってもパッケージの記載内容を確認しているようでは、仕事をスムーズに進めることができません。

薬への理解を深める方法として、その店舗で売れている商品の上位から医薬品の成分とその作用を覚えることがあげられます。自分で調べられる時は自分で、むずかしい場合は先輩に聞きましょう。風邪薬、解熱鎮痛薬、胃腸薬、湿布など、それぞれのカテゴリーで売れ筋を調べ、成分名や商品の特徴を覚えていくのです。

もちろん一気に覚えるなんて無理です。毎日少しずつでいいので、**接客しながら同時に商品を覚えていくこと**を意識しましょう。

4 理想の登録販売者になるために

登録販売者としての理想の働き方はひとりひとり違います。
どんな場所で、どのように働きたいか。条件だけで勤務先を選ぶのではなく、
自分の理想の姿を実現できる場所を考えてみましょう。

理想の登録販売者とは？

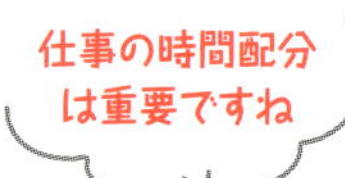

せっかく資格を取ったから、薬を販売して活躍したい！ほとんどの方がそう思うでしょう。しかし登録販売者の仕事は医薬品販売のほかにも、品出し（商品の陳列）やレジ打ち、在庫管理に発注業務、清掃など、多岐にわたります。

医薬品の販売に携わることができる時間は、一般的なドラッグストアで１日の勤務時間のうち**３割程度**です。こんなはずじゃなかったと思うこともあるかもしれません。しかし、あなたが任されている作業はすべて、お客様のための大切な仕事です。視野を広く持ち、自分なりの理想の登録販売者像を見つけていきましょう。

登録販売者といえばドラッグストア？

一般用医薬品の販売といえばまず思い浮かぶのがドラッグストアです。実際、大半の方がドラッグストアでの勤務を考えているか、すでに勤めていると思います。ライフスタイルに合わせて、社員、契約社員、パートなどの**勤務形態を選びやすいのが魅力**です。さまざまな年代の方が働いているため、スタッフ間でのコミュニケーションも大切になります。店舗でスタッフとして働きたい、店長になりたい、商品の仕入れがしてみたい、スタッフの採用や教育がしたい、全店舗の運営プランを考えていきたい、など、さまざまな働き方ややりがいがあるため、将来、自分に合ったキャリアプランを見つけやすいというメリットがあります。

ドラッグストアのほかにも**登録販売者が活躍できる場所はたくさん**あります。

自分のライフスタイル
と合わせて
キャリアプランを
つくろう

★ **調剤薬局での調剤事務・受付・会計**

○ 調剤薬局事務の資格が必須。調剤薬局は定期的に来訪するお客様の対応で、お客様とのつながりが密になります。

○ 薬剤師と一緒に働けるのでスキルアップの機会が多くもてます。登録販売者制度ができてから一般用医薬品を扱う店舗が増えました。

★ **コンビニエンスストア**

○ 医薬品の取り扱い店舗が格段に増え、既存店舗に医薬品コーナーを設けたところや薬局の一角にコンビニを設置しているところもあります。

○ 24時間営業の店舗では、最低でも12時間以上の登録販売者常駐が必須で、求人が多くあります。

★ **スーパー、家電量販店、ディスカウントストアなど**

給与、立地、勤務時間などの条件はそれぞれ異なります。勤務先を選ぶ際、**考えておきたいのは自分のキャリアプラン**です。みなさんにはそれぞれ、登録販売者の資格を取ろうと思ったきっかけがあったはずです。そのときの気持ちを思い出し、頭の中に描いていた「理想の登録販売者」として働ける場所を選びましょう。

5 「対面販売」と「特定販売」の違いを考えよう

一般用医薬品は特定販売（インターネット、電話、カタログによる販売）も認められています。対面販売と特定販売、それぞれどんなメリットがあり、その違いは何かを考えてみましょう。

特定販売のメリットとは？

特定販売とは、インターネット、電話、カタログによる販売方法のことです。特定販売でも、第二類、第三類医薬品は登録販売者または薬剤師しか販売できず、第一類医薬品は薬剤師のみしか販売できないという**ルールは対面販売と同じ**です。

そもそも以前は、一般用医薬品は対面による販売しか認められていませんでしたが、IT化の流れなどを受け、利便性の向上のために特定販売が許可されました。ドラッグストアなどのお店が近くにない方や、高齢者や要介護者のように気軽に買い物に出かけることがむずかしい方、昼間忙しい方などにとっては、いつでもどこでも思いたったときに購入できるというのが**特定販売の最大のメリット**です。

特定販売のデメリットは、対面販売のメリット

特定販売は**利便性**が高い一方、**安全性の問題**が懸念されています。飲み合わせの悪い薬をチェックしてくれる人がいない、メールで相談しても返答が遅い、依存性のある薬を子どもが勝手に購入してしまうのではないか、などという意見があります。たしかに医薬品を安全に使用するためには、専門家による適切な情報提供と相談応需が必要です。しかしそれは、販売方法にかかわらず必要なことであり、「特定販売だから心配」という理由にはなりません。

このようなさまざまな心配事は、突き詰めるとすべて**コミュニケーションの問題**につながるのだと思います。つまり、対面よりインターネットのほうがコミュニケーションをとりにくいことが問題なのです。みなさんにも、メールだけだと相手の感情や考えがわかりにくいという経験はありませんか？ 相手が目の前にいれば、声のトーン、表情、雰囲気など言語以外の情報も含めた相手の考えや感情をつかめます。その違いが、特定販売と対面販売の違いと言えるでしょう。

たとえば、お客様の様子から気持ちや状況を感じとることができます。

- **薬の説明をしていると、浮かない顔で聞いている**
  →何かわからないことがあるのかな？
- **おすすめした商品ではなく、違う商品を見ている**
  →ほかの薬がいいのかな？
- **小さい赤ちゃんを抱っこしている**
  →授乳中かな？
- **マタニティマークをつけている**
  →妊娠中かな？

このような情報は、特定販売ではお客様からの申し出や質問がないかぎりわからない情報でしょう。対面販売では、お客様の見た目からわかる情報も薬をおすすめするうえで貴重な情報になるのです。これは安全に薬を使用してもらうための、対面販売のメリットです。ふだんから**お客様の細かな情報を観察する目を養っておきましょう**。

6 店頭に立つための準備をしよう

店頭でお客様にご満足いただくためにはいろいろな準備が必要です。
幅広い商品知識を持ち、お客様を思いやることのできる
登録販売者が求められています。

売れ筋の商品を把握する

お店で一番売れ筋を把握している人にいろいろ聞いてみましょう

レジ対応の時間は**売れ筋を把握することができるチャンス**です。さらにレジ対応をしながら医薬品について情報提供することも、質問に答えることもできます。その少しの時間だけでお客様の心をグッとつかむこともできるのです。

品出しでも、スカスカな棚があればそれだけその商品が売れている証拠ですし、入荷数の多い商品も売れ筋の商品です。売れ筋の商品はそれだけ質問される機会も多いはずです。その商品の情報はしっかりと頭に入れておきましょう。

自分の強みと弱みを知る

登録販売者として活躍するためには、お客様よりも**まず自分に目を向けて**みましょう。自分の強みと弱みは何か、それをきちんと把握し、強みをさらに伸ばし、弱みをなくすためのプランを立てることです。もし、強み、弱みがすぐに思い浮かばない場合は、「**接客ノート**」を作ることをおすすめします。

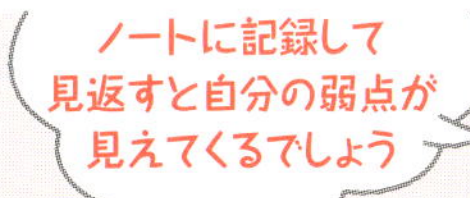

接客ノート

- **記載する内容**…接客した内容、おすすめした薬、購入された薬、説明したこと、わからなかったこと
- **書くタイミング**…接客のたびに書く（簡単なメモでも可）
- **用意するもの**…携帯できる手帳やノート、ペン

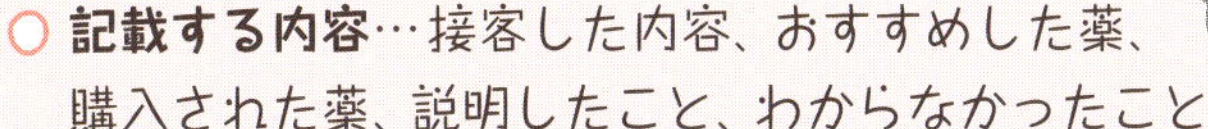

これを毎日くり返すことで、よくある質問や**自分の強みと弱みが明確**になってきます。わからなかったことは帰ってから調べましょう。自分の弱みがはっきりわかったら、その弱みをなくすためのプランを立てます。まずは目標を決めましょう。はじめはすぐに達成できそうな小さな目標を、クリアしたら次の目標を立てます。そのように小さな目標をクリアしながら、ベストをめざしましょう。

例 **弱み→胃腸薬の接客が苦手、質問に答えられない**
目標→胃腸薬の成分名、働きを覚える（1か月）
次の目標→お客様の症状に合わせ提案する薬をピックアップしておく（1か月）

販売後のフォローを大切に

対面販売の際には、接客したお客様のお顔とその内容、購入された医薬品をできるだけ覚えておき、**再来店の際は必ずお声がけ**をしましょう。販売後のフォローは容易ではありませんが、お客様からすると「自分を覚えていてくれた」ということはとても嬉しく、安心につながるものです。

● 再来店したお客様に聞いておくポイント

使用した薬の効果や飲みやすさ、使用した際の異常や副作用の有無

わかりやすい言葉で接客していますか？

「こちらは第二世代の抗ヒスタミン成分で、医療用からスイッチされたものですので比較的効果が強いと思います」

これは実際に私がドラッグストアで耳にした言葉です。どうやら登録販売者がお客様に鼻炎用の薬をおすすめしているようでした。

皮肉なことに、ふだんから勉強されている方ほど、専門用語を使ってしまうようです。登録販売者同士、もしくは薬剤師と話すときにはよいのですが、お客様と話す際には専門用語は使わないようにしましょう。

一般用医薬品はお客様がみずから選択し、使用するものです。主役はお客様であり、登録販売者はあくまでもサポート役。お客様に必要な情報をわかりやすく提供するのが重要な役割です。

そのため、登録販売者にはお客様の立場に立った、高いコミュニケーション能力が求められます。

自分にとってはなじみのある言葉も、お客様にとってはまったく理解できない、そんな場面は意外に多いものです。先に紹介した説明も、お客様は理解できたでしょうか。

耳慣れない言葉を聞くと、その言葉の意味を考えることに必死になり、その後の重要な注意を聞きのがしてしまうこともあるのです。

多くの知識を身につけることはもちろん大切です。しかし、その知識がお客様に伝わらなければまったく意味を持たないのです。お客様の目線に合わせ、わかりやすい言葉で説明できてこそ、知識は役に立ちます。そして、わかりやすい説明ができる登録販売者は必ずお客様から信頼されます。

また、もちろん言葉には心をこめてください。私はさまざまな研修会でこう説明しています。

目の前にいるお客様が自分の家族だとして、家族の病気だと思えば、しっかり話を聞いて、親身になって相談にのることができると思います。

販売する側からするとたくさん来店されるお客様の中のひとりであっても、お客様からすれば、たいていは、その日は一度かぎりの来店で、対応した登録販売者はあなただけでしょう。「次もこのお店で買おう！」と思われるか、「次は違うお店に行こう」と思われるか、それはそのときの対応次第です。

「一期一会」の気持ちで接客をするよう、心がけましょう。

［第1章］

医薬品販売の基本をマスターしよう

1 接客の基本姿勢を身につけよう

まずは基本的な接客の流れをみていきます。情報収集のためのテクニック、薬を選択するための知識はもちろん必要ですが、最も大切なことは「お客様が相談したい」と思えるような姿勢なのです。

お客様が相談しやすい雰囲気をつくろう

何も予備知識のないままお客様の前に出て、スラスラと接客できる方は少ないでしょう。かぎりなくゼロに近いと思います。そこで、まずは基本的な接客方法を知っておきましょう。

しかし、その前にまず心がけてほしいのは、お客様が「**相談したい**」と思ったときに「**いつ相談されてもよい態勢にしておく**」こと。自分ではできているつもりでも、意外にできていない方が多いものです。

イメージしていただきたいのは、あなたがお客様だったらどんな人に接客してもらいたいと思うか。身だしなみ、雰囲気、言葉遣い…こんな人から買いたいなという理想があるはずです。あなたは、その理想の姿を店頭で実現すればよいだけなのです。

たとえば、

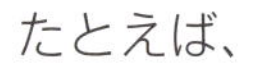

- 挨拶はできているか
- アイコンタクトはできているか
- 笑顔で話ができているか
- 身だしなみに清潔感はあるか
- 白衣は清潔か
- 名札はついているか

まずはこのようなところに気をつけましょう。店頭に出る前に、鏡でチェックするとよいでしょう。整った身だしなみで、最高の笑顔を練習してから、お客様の前に出ていきましょう。習慣のひとつになれば立派な武器になります。

登録販売者はお客様にとって、**いつでも気軽に相談できる身近な薬の専門家**であるということを忘れないようにしたいですね。

接客の基本的な流れを覚えておこう

接客には、**これじゃなきゃ！という決まりはありません**。状況によって不要な項目があったり、順番が入れ替わることもあります。お客様ひとりひとりに合った接客を心がけましょう。

一般用医薬品の接客では、「適正な商品選択のための情報収集」と「商品の適正な使用のための情報提供」に大きく分かれます。

■ 確認項目①使用者について

来店された方＝医薬品を使用する方とはかぎりません。実際に使用するのはだれか、改めて確認する必要があります。

確認すべき情報 **使用者はだれか、年齢、性別、妊娠・授乳の有無**

小児の場合、年齢によって使用できない薬もあるため、年齢の確認も必要です。

妊娠・授乳については**デリケートな問題**なので、お伺いする際には細心の注意を払いましょう。「失礼ですが…」「念のためみなさまにお伺いしているのですが…」など前置きをしながら話を聞くようにします。

■ 確認項目②症状について

風邪のようにさまざまな症状が出ている場合、一番つらい症状とその他の症状を分けて話を聞きます。薬を選ぶ際、まずは**一番つらい症状を緩和することでお客様の満足度は上がり、あなたへの信頼度も増します**。まずは一番つらい症状を聞く癖をつけておきましょう。

「痛み」を症状とされている場合、その頻度や痛みの性質（ズキズキ痛む、さしこむように痛む、など）も薬の選択のヒントとなります。

思い当たる原因について、食あたりによる下痢の場合のように、薬を使用することで悪化してしまう症状もあるので必ず聞きましょう。また、対応した薬の重複を避けるためにすでに何か薬を飲んだかどうか確認します。薬を飲んだ場合は、その効き目も聞いておくと今回の対応に役立ちます。

確認すべき情報 **具体的な症状、発症時期、部位、思い当たる原因、その症状への対応、対応結果**

■ 確認項目③使用者の基本情報について

相互作用や使用してはいけない薬を判断するため、お客様の安全性を確保するための情報を集めましょう。

飲まれている薬については、一般用医薬品のみでなく、医療用医薬品の商品名を言われることもあるでしょう。何の疾患に使う薬か、インターネットで調べたり、薬剤師がいる店舗では薬剤師に聞きながら、必ず確認しましょう。持病については、第2章でくわしく説明していますので、そちらも参考にしてください。

確認すべき情報 **飲んでいる薬や健康食品はあるか、持病の確認、アレルギー・副作用歴の確認**

■ 確認項目④店頭で対応可能か、もしくは受診勧奨か

①から③までいろいろと聞いたのは、「薬を販売するため」ではなく、「店頭で対応可能か判断するため」です。これをトリアージといいます。店頭で対応可能ならば医薬品の商品選択に進む、または生活習慣や健康食品のアドバイスだけで対応することもあります。

ここまで得られた情報で受診が必要と判断すれば、**医療機関への受診**を促します（受診勧奨）。どのような場合に受診勧奨を行うかという目安は、第2章を参照してください。

受診勧奨で必ずおさえてほしいポイントは**「診断」ではなく「判断」**だということです。「診断」は医師にしか認められていない行為ですので、受診を促す際は気をつけましょう。たとえば、「胃潰瘍かもしれませんので受診されたほうがよいですよ」というように、病名を口に出してはいけません。あくまで診断するのは医師ですので気をつけましょう。

受診勧奨にあたって大切なのは、「なぜ店頭で対応できないのか」「なぜ医療機関への受診が必要なのか」をお客様にきちんと説明し、納得していただくことです。平日の日中であれば診療している病院は多いですが、土休日や夜間の場合、診療している病院が少ないという問題があります。受診を勧められても、お客様が困ってしまうこともあるのです。そんなときのために、

土休日も診療をしている近隣の病院や、救急診療所の受付時間や連絡先を調べておき、必要であれば紹介しましょう。

■ 確認項目⑤基本情報収集シート

①から④までの情報を記入するための、簡単なチェックシートのサンプルです。ただし、あくまでもチェックシートは補助的なもので、記入に時間をかけてはいけません。お客様の顔を見ながら、手元だけで記入をするように、しっかりと**アイコンタクト**をしながら話を聞く時間を大切にしましょう。

■ 基本情報収集シート

①使用者について

- □ 本人　　□ 本人以外（　　　　）
- □ 年齢（　　）歳　　□ 性別　男・女
- □ 妊娠　有・無　　□ 授乳　有・無

②症状について

- □ 一番つらい症状（　　　　）
- □ その他の症状（　　　　）
- □ いつから（　　　　）
- □ 発生部位、頻度、性質（　　　　）
- □ 思い当たる原因（　　　　）
- □ 薬を飲むなどの対応をしたか、した場合その結果（　　　　）

③使用者の基本情報について

- □ 飲んでいる薬や健康食品はあるか　なし・ある（　　　　）
- □ 治療中の病気はあるか　なし・ある（　　　　）
- □ アレルギーや副作用の経験はあるか　なし・ある（　　　　）

④一般用医薬品で対応可能か、受診勧奨か

- □ 一般用医薬品・受診勧奨

2 お客様から具体的な情報を得る

お客様への対応はひとりひとり異なり、何度もくり返し接客することでさまざまなお客様への対応方法がわかってくるものです。まずは怖がらず、積極的なアプローチをしていきましょう。

まずは積極的にお声がけを

新人の登録販売者に特に大切なことは、**積極的にお客様にお声がけをする**ということです。「わからないことがあったらどうしよう」「断られたらいやだな」そんな気持ちはお客様に「自信のなさ」として伝わってしまうものです。

「わからないことがあって当たり前。調べてお答えすればいい」「断られてもいい。お声がけすることが大切」と割り切って、どんどんお客様に声をかけていきましょう。

こんなワードがおすすめ

「何かお手伝いしましょうか」
「お薬の説明をいたしましょうか」
「わからない事があったらお声がけください」

これ以外でも、自分なりのアプローチ方法をいくつか持っておくとよいでしょう。また、なかには**声をかけられるのをいやがるお客様**もいます。そのような方には無理に話しかけず、一度お声がけをしておき、後はお客様からのアプローチを待つという姿勢も大切です。

意識するポイントは2点

情報提供の際に気をつけるのは、お客様目線を大切にするということ。当たり前だと思われるかもしれませんが、いざお客様に薬をご案内するときになると、すっかり忘れてしまう人もいます。「**お客様の状態把握**」と「**お客様の知りたい情報をお伝えする**」という2点について意識しましょう。

お客様の状態把握

いまお客様がどんな状況で、どうしたいのかを把握しましょう。

「痛みが強い」「身体がだるくてつらい」「抱っこしている子どもが泣いている」「急いでいる」など、お客様はそれぞれ異なる状況にあります。

お客様全員にゆっくり、１つずつていねいに、すべての情報をお伝えすることは求められていません。薬の販売は、薬を売ることが成功ではなく、お客様に「**ここに来てよかった！**」と思ってもらえることが成功なのです。現場ではお客様の状況によって、最低限の大切な情報をお伝えし、早くお見送りをするということが求められる場合もあります。目の前のお客様にどんな情報が必要で、何をお聞きすればよいのか、それを判断できるのが真の登録販売者なのです。

お客様の知りたい情報をお伝えする

「お客様の知りたい情報をお伝えする」には、まずは「聞き上手」になることです。お客様の話を聞きながら、何を不安に思い、何に疑問を感じているか、を探っていくのです。

薬の勉強をする、商品知識を身につける、それはもちろん大切です。しかし、知識がつけばつくほど、それをお伝えしたいという気持ちが強くなってしまいがちです。すなわち相手の話を聞くより、自分から話をする時間が増えてしまう傾向にあります。お客様の中には、副作用についてくわしく聞きたい方もいれば、説明を聞くと怖くなって薬を飲まなくなる方もいます。**自分が伝えたい知識＝相手の知りたいこと、とはかぎらない**のです。明日からすぐに、お客様の知りたいことがわかるようになるのはむずかしいかもしれませんが、実践を重ねるしかないのです。話すより聞く、を日々意識していきましょう。

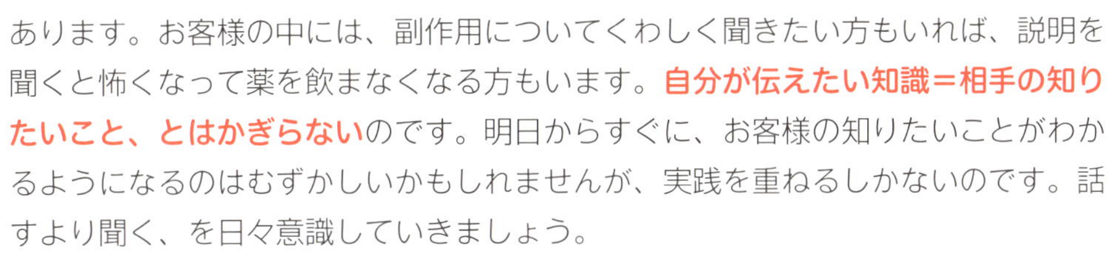

3 医薬品の情報提供のポイント

医薬品は販売することが目的ではなく、きちんと服用してもらい、症状を緩和することが目的です。お客様の細かい要望まで確認できれば、より満足してもらえる商品を提案することができます。

お客様が求めているものを選ぶには

お客様は自分にピッタリの商品を選ぶため、専門家であるあなたに相談しています。その期待に応えるため、お客様の症状をしっかりとヒアリングし、状況に合った商品を紹介することは基本中の基本です。お客様の背景やニーズを把握することで、「きちんと服用できる商品」を提案でき、お客様の満足感や信頼感につながります。可能なかぎり、お客様のニーズを優先させた商品の紹介をしましょう。

こんなニーズ、把握していますか？

■ 副作用による悪影響を避けるために

車の運転をされているなど、**眠気が事故**につながるおそれがある場合、眠くなるおそれのある成分は避ける必要があります。他にも胃が弱い方は胃に刺激を与える成分は避けるなど、**体質的に注意**が必要な方もいます。

★ こんな質問がおすすめ

「ふだんお車は運転されますか？」
「お仕事はされていますか？」
「胃が弱いなど、体質でお困りのことはありますか？」

■ 好きなメーカーやブランドについて

「パブロンじゃなきゃいや」「バファリンがいい」など、**好きなメーカーやブランド**がある方もいます。あらかじめ聞いておくとよいでしょう。

★ こんな質問がおすすめ

「いつも飲んでいらっしゃる薬はございますか？」
「好きなメーカーや気になる商品はございますか？」

■ 剤形について

「粉薬は飲みにくいから錠剤がいい」「カプセルはいや」など、**飲みやすい剤形、飲みにくい剤形**を聞いておきましょう。「たぶん錠剤は飲めるだろう」などと思い込みだけで販売すると、「(提案されて) 買ったのに飲めない！」というクレームにつながることもあるので注意が必要です。

★ **こんな質問がおすすめ**
「粉薬は飲みにくいとか、錠剤がいいなど、ご希望はございますか？」

■ 用法について

「昼間は飲む時間がないので１日２回タイプの薬が欲しい」「何度も飲むのは面倒だから１日１回がいい」など、特にお仕事をされている方には重要なポイントとなる項目です。**用法がライフスタイルに合っていないと飲み忘れの原因**にもなります。

★ **こんな質問がおすすめ**
「お昼も薬を飲む時間はありますか？」
「お仕事はされていますか？」

■ その他

「値段はなるべく安いものがいい」「持ち歩けるように小さいパッケージのものがいい」「余ったら保管したいので大容量のものが欲しい」など、細かい要望も聞き出すことができれば、より**お客様の満足度**が高まります。

見逃さないで！身のまわりにある大事な情報源

実際にあった事例をご紹介すると…。

ある日、レジで「黒酢」をお買い上げになったお客様がいました。少し経つと、また別のお客様が「黒酢」を。そして、また…。

不思議に思い、４人目のお客様に購入理由を聞いてみると、テレビの健康番組で取り上げられたことが発覚、あっという間に売り切れてしまいました。その後も来店されるお客様に「黒酢はないのか」と聞かれ続けましたが、品切れを謝るしかありませんでした。そのときに来店されたお客様は、「ニーズ」を満たされないまま帰られたわけです。

お客様は、テレビ番組やCM、新聞広告などの情報に敏感です。販売側がその情報を知らないのは好ましくありません。気になった商品は情報を積極的に調べ、店舗での扱いに活かしていきましょう。

商品を選ぶのはお客様

すぐに使える接客方法を1つお伝えします。

お客様に商品をご案内する際、**1種類だけではなく、必ず2種類以上の商品を提示し、それぞれの特徴を説明しましょう**。そして最後は、**お客様に選んでいただくのです**。1種類だけ薬を提示して、それがお客様の希望する商品と合致しない場合、「いらない商品を売りつけられた」というクレームにつながることもあります。その商品の値段が高ければなおさらです。

しかし、2種類以上の商品を提示し、お客様に選んでいただくと、「**自分で選んだ**」という感覚が強くなり納得して購入しやすいのです。それだけではなく、お客様にとってはよりニーズに合ったものを、自分で選択できるというメリットになります。

しかし、提示する商品があまりに多いとお客様が迷う原因になります。2種類を基準としましょう。薬を選ぶ際には、次の2つの項目を意識してみてください。

■ 価格帯が異なるもの

「700円の商品」と「1,000円の商品」のように、**価格帯が少し異なる商品を提示**しましょう。高い商品ばかり提案すると、お客様からは「もっと安いもの」と言い出しにくいですし、「高い商品を売りつけるお店」として印象が悪くなることもあります。

■ 商品の特徴が異なるもの

用法、剤形、メーカー、ブランドについて、同じ特徴を持った商品を複数提示されても、「決め手」に欠けるため、お客様はなかなか選ぶことができません。用法ならば「1日2回使用する商品」と「1日3回使用する商品」、剤形であれば「錠剤」と「散剤」のように、それぞれ**特徴の違う商品を提**

示するとよいでしょう。

価格は見てすぐにわかるため提示しやすいですが、特徴ある商品を上手に選ぶには、ある程度の慣れと経験が必要です。そのためにもふだんの業務の中で、**商品の特徴を意識して覚えておく**とよいでしょう。

購買意欲を高めるには

最終的に商品を選ぶのはお客様。とはいえ、おすすめしたい商品や売りたい商品があることも販売側の本音でしょう。そんなとき、「これを買おう」と思っていただけるかもしれないテクニックをご紹介します。

商品には、そのお客様にとっての「**マイナス面**」と「**プラス面**」があります。そのどちらを先にお伝えするかが重要なのです。たとえば、

A.「効き目は抜群ですが、少しお値段が高くなります」
B.「少しお値段は高いですが、効き目は抜群です」

どちらが、この商品を買おうと思えますか？　個人の感覚はそれぞれですので「絶対」はありませんが、多くの方がBと答えるのではないでしょうか。

相手にとっての**「プラス面」を後にお伝えすることで、お客様の頭の中にその「プラス面」が印象強く残る**のです。

このように、お伝えしておかなければならない「マイナス面」があれば先にお伝えし、「プラス面」を後からお伝えすると、その商品の印象はグッとよくなるのです。

さらにワンランク上をめざす方には、**サンドイッチ法**をおすすめします。

「マイナス面」を「プラス面」でサンドイッチしてお話しする方法です。

「こちらは錠剤が小さくて飲みやすいですよ。少しお値段は高いですが、効き目も抜群です」
（小さくて飲みやすい：＋　少しお値段は高い：－　効き目も抜群：＋）

この薬の印象はどうでしょうか？
購買意欲を高めるためにぜひ試してみてください！

4 剤形に関する知識を身につけよう

一般用医薬品にはいろいろな剤形があります。お客様それぞれに最も適した剤形をおすすめするのも登録販売者の大切な仕事です。ここでは代表的な剤形の特徴をおさえておきましょう。

内服薬

■ 錠剤

一般的に**錠剤**とよばれるものには、薬をそのまま固形状にした「**裸錠**」、糖でコーティングした「**糖衣錠**」、高分子の膜でコーティングした「**フィルムコート錠**」があります。糖衣錠やフィルムコート錠はコーティングされている分、薬の味やにおいを感じにくいのが特徴です。特に剤形に対する希望がない場合、まずは錠剤を提案するとよいでしょう。「**口腔内崩壊錠**」は唾液で溶けるように工夫されているため、水なしでも服用可能です。小児や高齢者などで飲みこみが苦手な方におすすめできます。同じく水なしで服用できる「**チュアブル錠**」は口の中で噛み砕くか、口の中で溶かして服用します。

■ カプセル剤

粉や液体の薬を主にゼラチン製のカプセルに入れたものです。粉を入れたものを「**カプセル剤**」、液体を入れたものを「**軟カプセル剤**」とよびます。錠剤よりも大きいものが多いので、飲みこみが苦手という人もいます。ゼラチンの独特な味も好みがわかれるところです。

■ 散剤・細粒剤・顆粒剤

一般的に粉薬といわれます。粒の大きさで**散剤**、**細粒剤**、**顆粒剤**に分類されます。飲みやすいという利点はありますが、粉の飛び散りや苦味が気になる人もいます。

■ 液剤・シロップ剤

液体状の剤形です。吸収が早く、効果も早く現れるといわれています。味やにおいを気に入ってもらえるかが一番のポイントですので、味、においを確認しておくとスムーズに接客できます。一方、ビンに詰められている商品が多いため携帯しにくい、目盛りが見にくいと１回量をはかるのが大変、というデメリットもあります（なかには１ビンを１回で服用する商品もあります）。

外用薬

■ 軟膏剤・クリーム剤・ゲル剤

一般的に**塗り薬**とよばれます。基剤により**軟膏**、**クリーム**、**ゲル**などに分類されます。患部の状態に合わせて使います。

■ 液剤・ローション剤

液状の**外用剤**です。伸びがよいため患部が広範囲にわたる場合にはおすすめです。頭皮など、毛の多い場所にも使いやすい剤形です。

■ エアゾール剤

噴射により、**薬の成分**が**霧状**、**泡状**、**粉末状**、**ペースト状**に出てくる**剤形**。手を汚さず患部に使用でき、速乾性があるので、ベタつき感が苦手な方にはおすすめです。しかし噴射の距離や時間など、こまかい注意事項があるので、高齢者などは使用がむずかしい場合もあります。

■ パップ剤・テープ剤

薬を布やフィルムに塗ったものを患部に貼って使用する剤形。一般的に貼り薬や湿布といわれます。

「**パップ剤**」は布の上に水分を多く含んだ基剤が使用されたもので、冷感タイプと温感タイプがあります。「**テープ剤**」はほとんど水分を含んでいないフィルム状の基剤を使用しているため、薄いので目立たず、粘着力が強いのが特徴です。その分、肌の弱い方はかぶれてしまうこともあります。

包装の違いにも注目

代表的な包装について知識を持っておくと、お客様のさらなる満足度の向上につながります。

■ PTP 包装

Press Through Packageの略です。プラスチックにアルミを貼り付けた包装で、上から指で押すことで薬を１つずつ取り出すものです。防湿性に優れ、持ち運びもしやすいという利点があります。

高齢者だと、指の操作がむずかしい場合もあります。さらに、薬を取り出さず、PTP包装のまま飲み込んでしまう事故も多く発生しています。必要に応じて、薬の取り出し方を確認しておくとよいでしょう。

■ バラ包装

１回に３錠など、主に服用量が多い薬に使われる包装です。一般用医薬品では、ビンに入ったタイプがよく見られます。１錠ずつ押し出す必要がないため、手軽に服用できる反面、持ち運びがしにくい、中の医薬品が汚染される可能性があるといったデメリットもあります。

錠剤を砕いたり、カプセルをはずして飲んでもよい？

「錠剤が大きくて飲みにくいから砕いてよい？」「カプセルの味がいやだからはずして中身だけ飲んでもよい？」と聞かれたら、どのように答えますか？

正解は「**避けてください**」です。

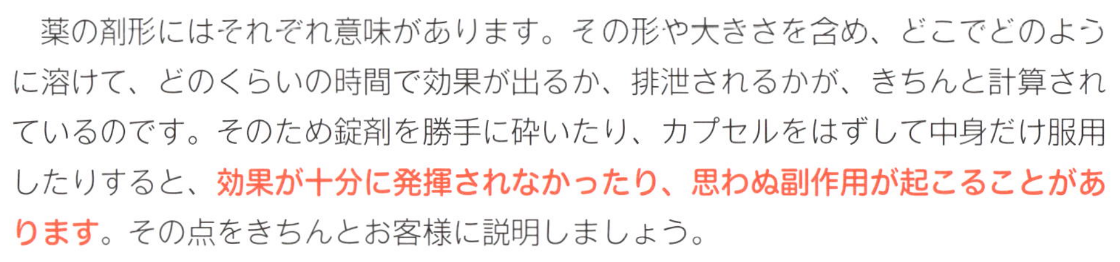

薬の剤形にはそれぞれ意味があります。その形や大きさを含め、どこでどのように溶けて、どのくらいの時間で効果が出るか、排泄されるかが、きちんと計算されているのです。そのため錠剤を勝手に砕いたり、カプセルをはずして中身だけ服用したりすると、**効果が十分に発揮されなかったり、思わぬ副作用が起こることがあります**。その点をきちんとお客様に説明しましょう。

さらに、このようなことが起こらないようにするために、**お客様に苦手な剤形について確認しておくこと**が大切です。

薬の服用をサポートする商品

薬局で処方された医療用医薬品を服用している方から「のどにつかえたり、苦すぎて薬が飲みにくい」という相談を受けたときにはどう対応しますか。

薬と一緒に服用するゼリーがあります。子供用、錠剤・カプセル用、散剤用など、用途に合わせた商品が販売されているため、品揃えしておくとよいでしょう。

このようなお客様には、一時的にゼリーを使ってみることを提案し、次の受診時に医師に相談するようにアドバイスしましょう。

薬の保管について

■「内用液剤・シロップ剤」

開封したら冷蔵庫に保管するものが多くあります。その中でも注意が必要なのは子供用のシロップ剤です。甘くておいしいシロップ剤を、子供がジュースと間違えて飲んでしまう事故は少なくありません。そのため、冷蔵庫保管のことだけではなく、「開けたら冷蔵庫に保管してください。ジュースと間違えてお子様が飲んでしまう事故が多いので、扉の近くではなく、なるべく上の奥の方に入れてください」と伝えましょう。**適切な保管場所を伝えるだけで、事故を減らすことができます。**

■「錠剤・散剤・カプセル剤」

なぜか薬をすべて冷蔵庫で保管する方がいます。特に高齢者に多いです。しかし、錠剤、散剤、カプセル剤を冷蔵庫で保管してしまうと、服用する際に結露が発生し、湿気を帯びることがあります。出し入れをくり返すごとに薬が劣化する恐れがありますので、冷蔵庫には保管せず、直射日光を避け、なるべく**湿気の少ない、涼しいところに保管するよう**に伝えましょう。

5 適切な使用のための情報提供とは

医薬品の販売は単に「物」を販売すればいいわけではありません。
「物」を販売するときに「適切な情報」をお伝えすることで
初めて「医薬品」を販売することになるのです。

リスク区分ごとの情報提供

一般用医薬品では**薬機法**で、**リスク区分ごとの情報提供者**が定められています。

医薬品のリスク分類	質問がなくても行う情報提供	相談があった場合の応答	対応する専門家
第一類医薬品	義務	義務	薬剤師
第二類医薬品	努力義務		薬剤師または登録販売者
第三類医薬品	不要		

新人かどうかに関わらず登録販売者は、第二類、第三類医薬品についての情報は必ず勉強しておき、その情報をお客様にお伝えしていくという大切な役割があります。

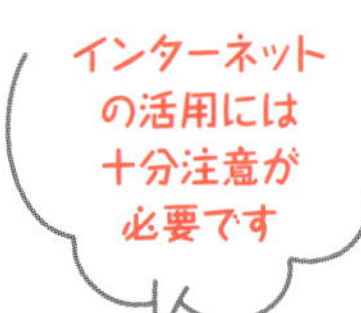

インターネットから情報を手に入れる

インターネットはいまや身近なもので、薬の情報もすぐに検索できると思います。本と違ってパソコンやスマホがあるだけでよいという手軽さですし、特に若い方では使いやすい手段ですよね。しかし、インターネットには間違った情報もたくさん載っています。もちろん検索することが悪いわけではありません。ただし、その情報をだれが発信しているのか、**手に入れた情報**については**必ず複数のサイトで再確認**をしてから**お客様にお伝えしましょう**。間違った情報をお伝えしてしまうことほど怖いことはないですから…。

外部研修で最新の情報を手に入れる

2012年に厚生労働省から「登録販売者の資質の向上のためのガイドライン」が示され、**登録販売者に外部研修の受講が義務**付けられました。

外部研修とは、薬局開設者、店舗販売業者、配置販売業者が、従業員の登録販売者の資質を確保するために受けさせる必要がある研修です。「外部研修」は、各都道府県に認可された外部研修実施機関に委託して行われる研修であり、社内で行われる「社内研修」「社内勉強会」とは区別されています。

ガイドラインでは、**外部研修の受講対象者は医薬品の販売に従事するすべての登録販売者**であり、研修時間は毎年12時間以上と定められています。ただし、このうちの半分（6時間）は座学研修（集合研修）でなくてはなりませんが、残りの半分は通信研修でも可能です。さらに、研修は1年で終了するのではなく、定期的に、継続的に受ける必要があると定められています。

研修への参加にあたっては、勤務先の企業でとりまとめて申し込んでいるところもありますが、個人でも申込みは可能です。

外部研修の内容は下のように定められています。

1. 医薬品に共通する特性と基本的な知識
2. 人体の働きと医薬品
3. 主な一般用医薬品とその作用
4. 薬事に関する法規と制度
5. 一般用医薬品の適正使用と安全対策
6. リスク区分等の変更があった医薬品
7. その他登録販売者として求められる理念、倫理、関連法規等

最新の情報を手に入れるという意味ではもちろんですが、登録販売者の資格者として**資質の向上のために、生涯勉強**しなければならないと思います。大変ですが、その先にはお客様の笑顔があります。一緒に頑張っていきましょう。

添付文書にある情報を確認しよう

お客様に確認することや、伝える情報、質問対応など、**店頭での接客の基本となるのは添付文書**です。記載されている内容を確実に理解し、必要な箇所をお客様に説明できるようにしておきましょう。

■ 添付文書の一例

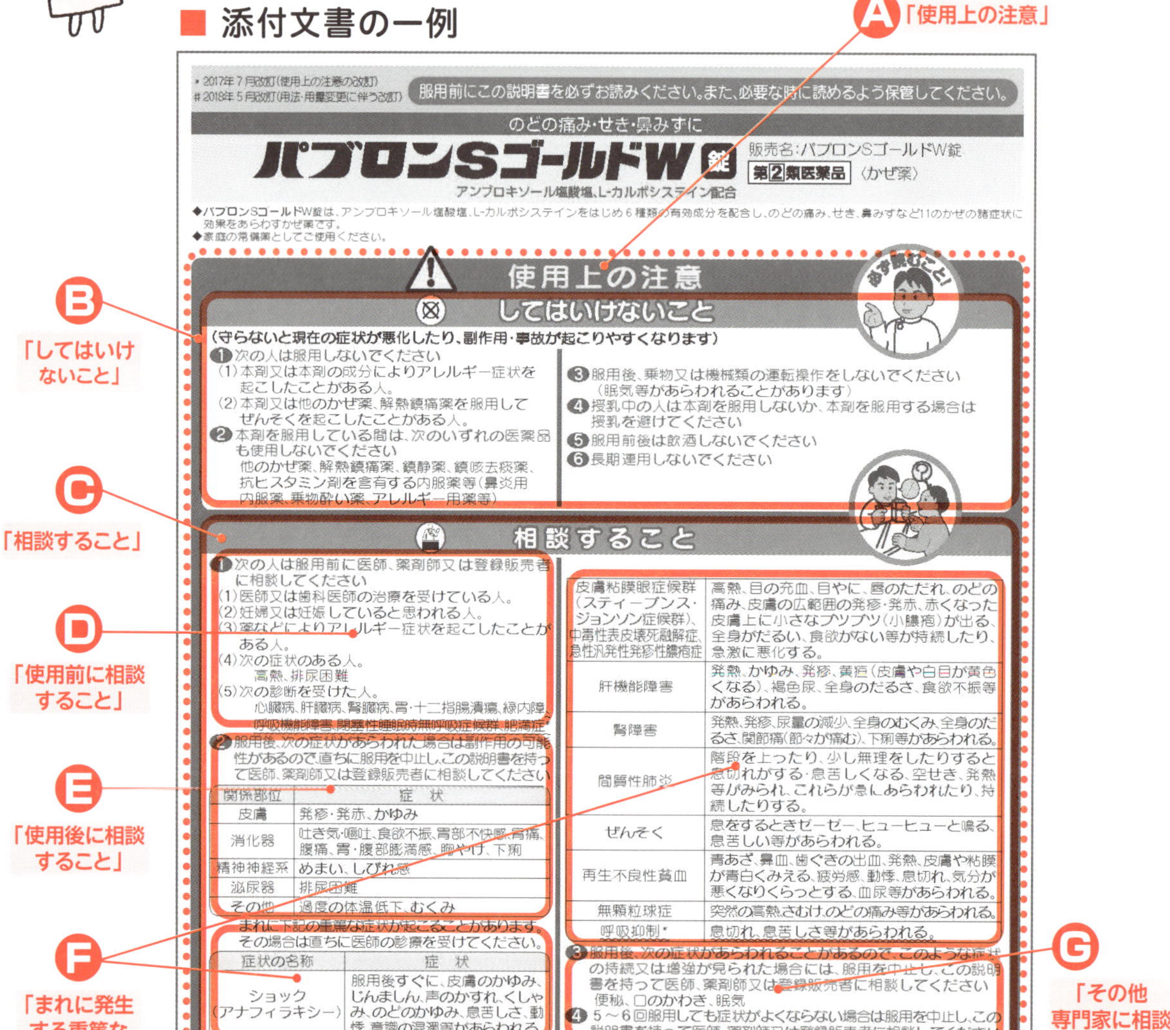

・2017年7月改訂(使用上の注意の改訂)
#2018年5月改訂(用法・用量変更に伴う改訂)

服用前にこの説明書を必ずお読みください。また、必要な時に読めるよう保管してください。

のどの痛み・せき・鼻みずに

パブロンSゴールドW 錠

アンブロキソール塩酸塩、L-カルボシステイン配合

販売名：パブロンSゴールドW錠
第2類医薬品 〈かぜ薬〉

◆パブロンSゴールドW錠は、アンブロキソール塩酸塩、L-カルボシステインをはじめ6種類の有効成分を配合し、のどの痛み、せき、鼻みずなど11のかぜの諸症状に効果をあらわすかぜ薬です。
◆家庭の常備薬としてご使用ください。

使用上の注意

してはいけないこと

（守らないと現在の症状が悪化したり、副作用・事故が起こりやすくなります）

1 次の人は服用しないでください
(1) 本剤又は本剤の成分によりアレルギー症状を起こしたことがある人。
(2) 本剤又は他のかぜ薬、解熱鎮痛薬を服用してぜんそくを起こしたことがある人。

2 本剤を服用している間は、次のいずれの医薬品も使用しないでください
他のかぜ薬、解熱鎮痛薬、鎮静薬、鎮咳去痰薬、抗ヒスタミン剤を含有する内服薬等（鼻炎用内服薬、乗物酔い薬、アレルギー用薬等）

3 服用後、乗物又は機械類の運転操作をしないでください
（眠気等があらわれることがあります）

4 授乳中の人は本剤を服用しないか、本剤を服用する場合は授乳を避けてください

5 服用前後は飲酒しないでください

6 長期連用しないでください

相談すること

1 次の人は服用前に医師、薬剤師又は登録販売者に相談してください
(1) 医師又は歯科医師の治療を受けている人。
(2) 妊婦又は妊娠していると思われる人。
(3) 薬などによりアレルギー症状を起こしたことがある人。
(4) 次の症状のある人。
高熱、排尿困難
(5) 次の診断を受けた人。
心臓病、肝臓病、腎臓病、胃・十二指腸潰瘍、緑内障、呼吸機能障害、閉塞性睡眠時無呼吸症候群、肥満症*

2 服用後、次の症状があらわれた場合は副作用の可能性があるので、直ちに服用を中止し、この説明書を持って医師、薬剤師又は登録販売者に相談してください

関係部位	症　状
皮膚	発疹・発赤、かゆみ
消化器	吐き気・嘔吐、食欲不振、胃部不快感、胃痛、腹痛、胃・腹部膨満感、胸やけ、下痢
精神神経系	めまい、しびれ感
泌尿器	排尿困難
その他	過度の体温低下、むくみ

まれに下記の重篤な症状が起こることがあります。その場合は直ちに医師の診療を受けてください。

症状の名称	症　状
ショック（アナフィラキシー）	服用後すぐに、皮膚のかゆみ、じんましん、声のかすれ、くしゃみ、のどのかゆみ、息苦しさ、動悸、意識の混濁等があらわれる。
皮膚粘膜眼症候群（スティーブンス・ジョンソン症候群）、中毒性表皮壊死融解症、急性汎発性発疹性膿疱症	高熱、目の充血、目やに、唇のただれ、のどの痛み、皮膚の広範囲の発疹・発赤、赤くなった皮膚上に小さなブツブツ（小膿疱）が出る、全身がだるい、食欲がない等が持続したり、急激に悪化する。
肝機能障害	発熱、かゆみ、発疹、黄疸（皮膚や白目が黄色くなる）、褐色尿、全身のだるさ、食欲不振等があらわれる。
腎障害	発熱、発疹、尿量の減少、全身のむくみ、全身のだるさ、関節痛（節々が痛む）、下痢等があらわれる。
間質性肺炎	階段を上ったり、少し無理をしたりすると息切れがする・息苦しくなる、空せき、発熱等がみられ、これらが急にあらわれたり、持続したりする。
ぜんそく	息をするときゼーゼー、ヒューヒューと鳴る、息苦しい等があらわれる。
再生不良性貧血	青あざ、鼻血、歯ぐきの出血、発熱、皮膚や粘膜が青白くみえる、疲労感、動悸、息切れ、気分が悪くなりくらっとする、血尿等があらわれる。
無顆粒球症	突然の高熱、さむけ、のどの痛み等があらわれる。
呼吸抑制*	息切れ、息苦しさ等があらわれる。

3 服用後、次の症状があらわれることがあるので、このような症状の持続又は増強が見られた場合には、服用を中止し、この説明書を持って医師、薬剤師又は登録販売者に相談してください
便秘、口のかわき、眠気

4 5～6回服用しても症状がよくならない場合は服用を中止し、この説明書を持って医師、薬剤師又は登録販売者に相談してください

用法・用量、効能、成分、保管及び取扱い上の注意については、裏面をよくご覧ください。 31

A「使用上の注意」

「してはいけないこと」「相談すること」に分かれており、どの添付文書においても共通のマークが付けられています。使用前に確認しておくべきことが、重要性の高い順に記載されています。これらの項目に該当しないかどうか、この薬を使用しても問題ないかどうか、必ず確認をしましょう。

B「してはいけないこと」

薬を使用（服用）している間、お客様に守ってもらいたい事項が記載されています。
「次の人は服用しないでください」では薬を使用することにより症状の悪化、副作用・事故などのリスクが高くなる事項について記載されています。
「本剤を服用している間は、次のいずれの医薬品も使用しないでください」では一緒に使用すると、相互作用が起こる可能性のある薬が記載されています。

C「相談すること」

使用前に相談することと、使用後に相談することについて記載されています。

D「使用前に相談すること」

この薬を使用するにあたり副作用が出やすい方など、専門家の判断が必要になる事項について記載されています。該当する場合は絶対に使用してはいけないわけではなく、症状によっては使用可能なので、専門家に相談する必要があります。

E「使用後に相談すること」

この薬を使用するにあたって考えられる副作用が記載されています。一般的に起こりやすいもの、まれに発生する重篤なもの、その他専門家に相談すべき事項に分かれています。このような症状が現れた場合は薬の使用を中止し、専門家に相談してもらう必要があります。

F「まれに発生する重篤な副作用」

このような症状に気づいたら、医師の診察を受けることが必要です。大切な項目ではありますが、ここだけを強調すると、お客様を必要以上に怖がらせてしまうこともあります。反応を観察しながら、必要に応じて慎重に説明することが大切です。

G「その他専門家に相談すべき事項」

口のかわき、便秘など、配合されている成分によって一時的に起こりがちな軽い副作用が記載されています。このような症状が現れた場合、ただちに使用を中止する必要はありませんが、症状が継続したり、だんだん強くなるような場合には使用を中止し、専門家に相談してもらう必要があります。

H「用法・用量」

用法・用量

次の量を水又はぬるま湯で服用してください。

食後なるべく30分以内に服用してください		
年　令	1回量	服用回数
15才以上	2錠	1日3回
12才～14才	1錠	
12才未満	服用しないこと	

［注意］
(1)定められた用法・用量を厳守してください。
(2)小児に服用させる場合には、保護者の指導監督のもとに服用させてください。
(3)ぬれた手等で触れた錠剤はびんに戻さないでください。(変色等の原因となり、品質が変わることがあります)

最初に服用する時に

①瓶口シールをはがして捨ててください。　①捨てる　②捨てる
②詰め物を取り出して捨ててください。(この詰め物は輸送時の錠剤の破損を防ぐためのものです。これをびんに出し入れすると異物混入の原因になることがあります)

効　能

かぜの諸症状(のどの痛み、せき、鼻みず、鼻づまり、くしゃみ、たん、頭痛、発熱、悪寒、関節の痛み、筋肉の痛み)の緩和

成　分

2錠中

アンブロキソール塩酸塩　15mg
せきの原因となるのどにからまるしつこいたんを出しやすくします。

L-カルボシステイン　250mg
気道粘液・粘膜を正常な状態に近づけます。

ジヒドロコデインリン酸塩　8mg
せき中枢にはたらき、せきをしずめます。

アセトアミノフェン　300mg
発熱、頭痛、のどの痛み等、熱と痛みをしずめます。

クロルフェニラミンマレイン酸塩　2.5mg
くしゃみ、鼻みず、鼻づまりの症状をおさえます。

リボフラビン(ビタミンB_2)　4mg
かぜの時に消耗しやすいビタミンを補給します。

添加物：セルロース、無水ケイ酸、リン酸水素Ca、デンプングリコール酸ナトリウム、ヒドロキシプロピルセルロース、硬化油、ステアリン酸Mg

［注意］
本剤の服用により、尿が黄色になることがありますが、これは本剤中のビタミンB_2によるもので、ご心配ありません。

K「保管及び取扱い上の注意」

保管及び取扱い上の注意

(1)直射日光の当たらない湿気の少ない涼しい所に密栓して保管してください。
(2)小児の手の届かない所に保管してください。
(3)他の容器に入れ替えないでください。(誤用の原因になったり品質が変わることがあります)
(4)使用期限を過ぎた製品は服用しないでください。なお、使用期限内であっても、開封後は6ヵ月以内に服用してください。(品質保持のため)

L「相談窓口」

この製品についてのお問い合わせは、お買い求めのお店又は下記にお願い申し上げます。
連絡先　大正製薬株式会社 お客様119番室
電　話　03－3985－1800
受付時間　8:30～21:00(土、日、祝日を除く)

If you have any questions regarding this medication, ask at the store you bought it from or contact the following number:
Taisho Pharmaceutical Co., Ltd., Customer Hotline
Telephone:03-3985-1800
Office hours: 8:30-21:00 (excluding Saturdays, Sundays and National holidays)

副作用被害救済制度のお問い合わせ先
(独)医薬品医療機器総合機構　http://www.pmda.go.jp/kenkouhigai_camp/index.html
電話：0120－149－931(フリーダイヤル)

H「用法・用量」

年齢ごとに、1回に使用する量、1日の使用回数、使用するタイミングが見やすいように表で記載されています。必要に応じて、お客様に適した服用量を説明します。小児においては使用できない年齢も記載されていますので、確認をしてから販売しましょう。

I「効能・効果」

国から承認を受けた効能・効果がすべて記載されています。お客様の症状に合っているかを確認しましょう。

J「成分」

配合されている成分の名称と含量、作用について記載されています。同じ成分が配合されている薬でも、含量には違いがあるものがほとんどです。含量を比較することで、その薬がどの症状への対応を強化した商品なのかを知ることができ、商品選びのヒントとなります。また枠外には含まれているすべての添加物も記載されていますので、添加物によるアレルギーを起こしたことがある方については確認が必要です。

K「保管及び取扱い上の注意」

温度、湿度、光に関する注意、保管場所など、この薬の保管に適した環境や取扱い上の注意について記載されています。

L「相談窓口」

製薬会社の連絡先や、副作用被害救済制度の問い合わせ先などの相談窓口に関する情報が記載されています。

お客様から相談を受けた際に、使用した薬がわからないと適切な対応ができません。大切なことは、**使用した薬の添付文書を持参してもらう**ことです。購入してすぐに捨ててしまうお客様もいらっしゃるため、**保管しておくようにお伝え**しましょう。

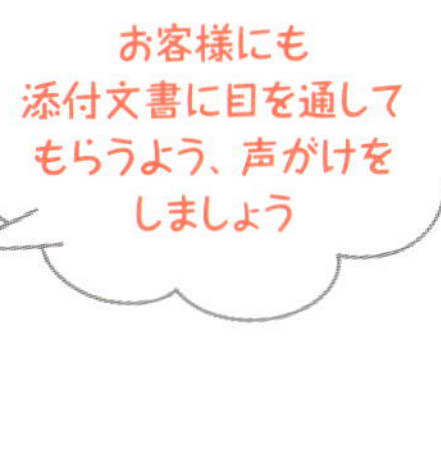

6 専門家としての視点は大切に

医薬品業界では日々研究が進められ、常に新しい情報が発信されます。一度学んだ知識が生涯そのまま活かせるとはかぎらないのです。常に最新の情報を手に入れて、接客に活かしていきましょう。

資格は取得してからがスタート！

登録販売者になる前は、この資格を取りたい！と思って必死に勉強したことと思います。その知識はもちろんすべて、店頭での業務に活かすことができるものです。しかし、資格は取得したときがスタート位置に立ったときなのです。

登録販売者として働くからには、**薬の専門家として、常に正確な知識をお客様に提供すること**が求められるからです。

「昔はこうだったのに、いまは違う」このようなことはたくさんあります。たとえば添付文書ひとつにしても、常に新しい情報に書きかえられています。そのような新しい情報をキャッチするためのアンテナをいつも立てておく必要があるのです。

たとえば…こんな常識の変化を見逃さないで

すり傷ができたとき、昔なら傷口を洗い、赤チンなどの消毒液で消毒して乾かし、かさぶたになって治る。これが常識でした。しかし研究が進み、この常識が変わってきました。傷口からは、傷を早く治すための浸出液が分泌され、その浸出液を乾かしてしまうとかえって治りが遅くなることがわかったのです。

そのため、現在はモイストヒーリング（湿潤療法）という考え方が一般的になっています。モイストヒーリングとは、傷から出る浸出液を傷口に保つことで治す治療法です。近年では、モイストヒーリングに使用できる絆創膏などが傷ケアの主流となってきています。とはいえ、家庭での治療は限界があります。痛

みや化膿などがある場合などは、医師の受診が安心でしょう。

最新の情報が常に正しいとはかぎりません。しかし、このように新しい情報が、店頭の商品に反映されることもあるのです。特に新商品は、**なぜこのような商品が発売されたのか、企業のホームページを見ておくと情報収集に役立ち**ます。

妊婦には受診をすすめる

妊婦、または妊娠していると思われるお客様には、基本的には受診を提案します。

妊婦と胎児の間の「胎盤関門」を通過し、胎児に悪影響を与えるとわかっている薬の成分もありますが、どの程度の影響があるのかわからない薬もたくさんあります。

そのため、「基本的には一般用医薬品の使用は避ける」という理解をしておきましょう。一般用医薬品の添付文書では、妊婦は「相談すること」に分類されることが多いのも胎児への薬の影響を判断するのがむずかしいためです。

ここでひとつご紹介したいのが、次のサイトです。

「妊娠と薬情報センター」
○ https://www.ncchd.go.jp/kusuri/

2005年より厚生労働省の事業として設置された機関であり、専門の医師、薬剤師に薬の相談をすることができます。全国に拠点病院があり、問診票などの必要書類を郵送後、電話もしくは全国にある「妊娠とくすり外来」への相談ができます。たとえば、「持病で薬を飲んでいるが問題ないか」「妊娠していると知らずに薬を飲んでしまった」などの相談が可能です。

あらかじめお客様本人の問診票の提出が必要ですが、産婦人科に行く前に聞いておきたいときや、主治医に聞きにくい場合など、いざというときの情報をお知らせできるように念のため知っておいて損はありません。

授乳婦が使用できる薬を確認しよう

母親が服用した**薬の成分の一部が母乳に移行**し、**乳児に悪影響を与える**ことがあります。しかし**妊婦と異なり、授乳婦に関しては「使用してはいけない」という薬がある程度はっきり**しており、店頭でも十分に対応が可能です。

そのためには、ジフェンヒドラミン塩酸塩では乳児に昏睡を起こすおそれがある、ロートエキスでは乳児に頻脈を起こすおそれがあるなど、薬効ごとに使用してはいけない成分をきちんと把握しておく必要があります。

さらに専門家として参考にしたいのが、前述の「**妊娠と薬情報センター**」のホームページの中にある次の項目です。

「医療関係者向け情報」
○ https://www.ncchd.go.jp/kusuri/news_med/login.html

ここには、「**授乳中に安全に使用できると考えられる薬**」と「**授乳中の使用に適さないと考えられる薬**」が載っています。特に、安全に使用できると考えられる薬については一度確認をしておきましょう。もちろん、常に新しい情報に更新される可能性があるので、定期的にチェックしておくとよいでしょう。

■ 安全に使用できると考えられる薬

上記の「医療関係者向け情報」は、ほとんどが医療用医薬品の情報にはなりますが、**一般用医薬品で使用されている成分についても載っています**。たとえば、解熱のための市販薬を希望される方が来店したら、「イブプロフェン」は安全に使用できると考えられる薬として掲載されていますので、提案することができます。

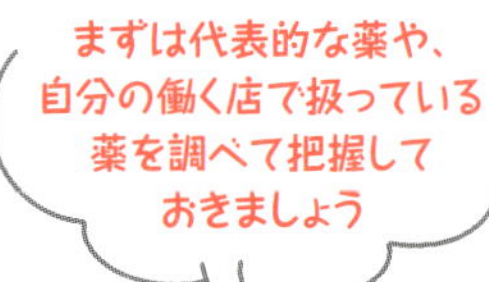

ただし、一般用医薬品はさまざまな成分が配合された複合剤の商品が多いため、注意が必要です。1つの成分のみが配合された単剤の商品をご案内することが基本となります。

[第2章]

チャートでわかる！
お客様の訴えに応じた
医薬品の提案

この章ではお客様から
問い合わせの多い症例と、
商品提案に際して知っておく
べき情報がまとまっています。
接客で自信をつけるため、
一緒に学びましょう！

1 かぜ薬 …… *Cold remedies*

かぜ薬はさまざまな症状（発熱、頭痛、のどの痛み、鼻水、鼻づまり、くしゃみ、咳、痰など）の緩和を目的としているため、ひとつの商品に複数の成分が配合されていることが特徴です。

かぜ（かぜ症候群）の原因

かぜの原因はウイルスの感染によるものがほとんどであり、感染したウイルスの種類によって症状が異なります。ほかにも、細菌の感染によるものや、まれに冷気や乾燥のような非感染性の場合もあります。

■ 主なかぜの症状

発熱

不飽和脂肪酸からなる生理活性物質のプロスタグランジンが、視床下部の体温調節中枢（温熱中枢）を刺激し、体温を上昇させる。

頭痛

頭部の血管が拡張し、神経を圧迫することにより起こる。一般的に激痛ではなく、鈍い痛みのことが多い。

のどの痛み

ウイルスを排除するために起こる免疫反応に伴う炎症により、のどが赤く腫れたり、痛んだりすることがある。

鼻水・鼻づまり・くしゃみ

鼻粘膜に付着したウイルスを排除するために鼻水やくしゃみが、鼻粘膜の血管が腫れることで鼻づまりが起こる。

咳・痰

気道に侵入したウイルスを排除するために起こる。咳には気道にたまった痰を排出させる役割もある。

関節の痛み

発熱に伴う悪寒によって「寒い」と感じた体は細かく震えて熱を起こす。このときの関節や筋肉の負担が原因で痛みが生じる。

食欲不振

かぜに伴う体力低下、下痢、吐き気、胃腸機能の低下などが原因で起こる。

かぜ薬の種類と特徴

解熱鎮痛成分を中心に、抗ヒスタミン成分、鎮咳・去痰成分、抗炎症成分などが配合されています。一番つらい症状から提案する薬を考えましょう。

■ かぜ薬の主な成分

一般的に、かぜ薬のメインとなる成分は解熱鎮痛成分です。かぜ薬を案内するときには、まずお客様の状況に合わせた解熱鎮痛成分を検討しましょう。加えて、そのほかに現れている症状を緩和する成分が配合されたものの中から、最適な商品の選択をサポートしましょう。

成分		内容
解熱鎮痛成分		代表的なものに、イブプロフェン、アセトアミノフェン、イソプロピルアンチピリンなどがある イブプロフェンなどの非ステロイド性抗炎症薬はプロスタグランジンの産生を抑制することで、熱を下げ、痛みや炎症をやわらげる アセトアミノフェンは体温調節中枢に作用し熱を下げるが、抗炎症作用はほとんど期待できない イソプロピルアンチピリンはピリン系成分であり、解熱作用に優れる 市販のかぜ薬は、イブプロフェンとアセトアミノフェンの商品がほとんどなので、まずはその2つの成分から覚えておくとよい
抗ヒスタミン成分		ヒスタミンの受容体への結合を阻害することで、鼻水やくしゃみをやわらげる。代表的なものに、クロルフェニラミンマレイン酸塩、クレマスチンフマル酸塩がある
鎮咳・去痰成分	**中枢性鎮咳成分**	延髄の咳中枢に作用し、咳を鎮める。代表的なものに、コデインリン酸塩、ジヒドロコデインリン酸塩、デキストロメトルファン臭化水素酸塩、ノスカピン、チペピジンヒベンズ酸塩などがある
	気管支拡張成分	メチルエフェドリン塩酸塩は交感神経を刺激し、気管支を広げ、咳や痰を鎮める作用がある
	去痰成分	痰の粘性を下げたり、気道を潤したりすることで、痰を出しやすくする作用がある。代表的なものに、ブロムヘキシン塩酸塩、アンブロキソール塩酸塩、L-カルボシステインがある
抗炎症成分		トラネキサム酸は、炎症を促進するプラスミンの作用を抑えることで、鼻粘膜やのどの炎症をやわらげる。血栓を溶かしにくくするため、血栓のある方、血栓ができるおそれのある方には注意が必要 生薬のカンゾウエキスにはグリチルリチン酸が主成分として含まれている。グリチルリチン酸はステロイド性抗炎症成分と構造が似ており、炎症を鎮める作用がある
その他		発熱などで消耗しがちなビタミンを補給する目的で、ビタミンB類やビタミンCなどが配合される。カフェインは頭痛をやわらげ、疲労感を回復させる目的で配合される

販売時に気をつけること

全般

- お客様にどんな症状があるのか、一番つらい症状は何かを必ず確認しましょう。それにより、かぜ薬なのか、その症状のみを対象とした薬を紹介するのかを判断しましょう。
- かぜ薬は原因であるウイルスに直接作用するものではなく、対症療法薬です。かぜは薬を使用しなくても、１週間ほどで自然に治ります。しかし無理をすれば重症化し、肺炎などの合併症を引き起こすこともあるので、発熱や咳などで体力の消耗が激しい場合は、薬を使用し、症状を抑え、十分休養することが大切です。
- 部屋の温度は20～25℃くらいに、湿度は50～60%前後に保つとよいでしょう。

■ かぜとインフルエンザ

インフルエンザは感染力が強く、重症化しやすいため、かぜとは区別して扱われます。かぜの多くは、咳、のどの痛み、鼻水などの症状から始まり、発熱は軽度のことが多いです。それに対し、インフルエンザは高熱から始まり、悪寒、頭痛、筋肉痛、関節痛などの全身症状が強く現れます。

インフルエンザの場合は、受診をすすめましょう。抗インフルエンザウイルス（医療用医薬品）を服用することで発熱の期間が１～２日短縮されます。しかし、登録

	かぜ症候群	インフルエンザ
潜伏期間	5～6日	1～2日
発症	ゆるやか	急激
症状	咳、のどの痛み、鼻水などが中心	悪寒、頭痛、筋肉痛、関節痛、倦怠感などが強く現れる 結膜の充血がみられることも多い
発熱	38℃以下のことが多い	38～40℃の高熱
合併症	あまり見られないが、重症化すると肺炎などを起こすことがある	肺炎、まれに脳症を合併することもある

販売者はお客様を「診断」することはできません。インフルエンザの流行時期（冬季）であり、さらにお客様の症状が疑わしい場合は受診をすすめますが、「インフルエンザだと思いますので受診をしてください」など、**具体的な病名を口に出すことのないように注意**してください。

お客様の周囲（家族や友人、会社など）でインフルエンザにかかっている人がいないかを確認しておきましょう。もし流行していれば、お客様もインフルエンザである可能性が高いでしょう。

受診勧奨の目安

症状	・発熱が3日以上続いている ・5日以上症状が軽くなっていない、悪化している ・39℃以上の発熱 ・嘔吐や激しい下痢 ・激しい頭痛やのどの痛み、黄色の鼻水、耳の痛みが続いている ・呼吸が苦しい ・食欲低下が著しい

こんな副作用に注意

アセトアミノフェン	大量服用で肝障害を起こすことがある。アルコールの併用で肝障害のリスクが高まるため、同時摂取は避ける
抗ヒスタミン成分、ジヒドロコデインリン酸塩	眠気が現れることがあるので、服用後、車や機械類の運転は避ける
コデインリン酸塩水和物、ジヒドロコデインリン酸塩	まれに呼吸抑制（呼吸回数の減少状態）が現れることがある

■ 持病がある人への注意

喘息	非ステロイド性抗炎症薬（NSAIDs）の使用は喘息を誘発するおそれがある。アセトアミノフェンは比較的安全に使用できる
高血圧、糖尿病、心臓病、甲状腺機能亢進症	メチルエフェドリン塩酸塩、プソイドエフェドリン塩酸塩など、交感神経を刺激する成分は症状を悪化させるおそれがある
緑内障、前立腺肥大（男性のみ）	抗ヒスタミン成分、抗コリン成分は症状を悪化させるおそれがある。中枢性鎮咳成分も抗コリン作用をもつため、同じく使用は避ける
血栓のある人、そのおそれのある人	血栓を溶かしにくくする作用のあるトラネキサム酸は避ける
胃腸が弱い人	非ステロイド性抗炎症薬（NSAIDs）の使用は避け、アセトアミノフェンを提案する
ピリン系薬剤で副作用（ピリン疹など）の経験がある人	イソプロピルアンチピリンはピリン系成分なので使用してはならない

聴き取りのポイント

一般的に、かぜ薬は1つの商品に多くの成分が含まれています。お客様の症状に最適なものを選ぶためには、何よりも症状の聴き取りが重要です。商品の特徴も整理してよく理解しておきましょう。

■ 使用者の確認

高齢者	持病のため薬を服用している場合が多いので、飲み合わせに注意が必要
妊婦	原則として受診をおすすめする
授乳婦	アセトアミノフェンまたはイブプロフェンを主成分とした薬を紹介 ジフェンヒドラミン塩酸塩、アンブロキソール塩酸塩、コデイン類、カフェインなどは母乳中へ移行するので使用しない
小児	アセトアミノフェンが配合された小児用の製品がおすすめ。15歳未満は小児用かぜ薬がよい。なお、12歳未満の小児はコデイン類の使用を避ける
家族全員の常備薬が欲しい	15歳未満の子どもがいる場合は年齢確認をした後、アセトアミノフェンが配合された商品がおすすめ。症状や年齢によっては、それぞれの薬を分ける必要もあるため、必ず年齢を確認する 【例】・ルルアタックFX（7歳以上） ・新エスタック「W」（7歳以上） 外箱を開封しても品質が保たれるように個包装の商品がよい

■ 症状の確認

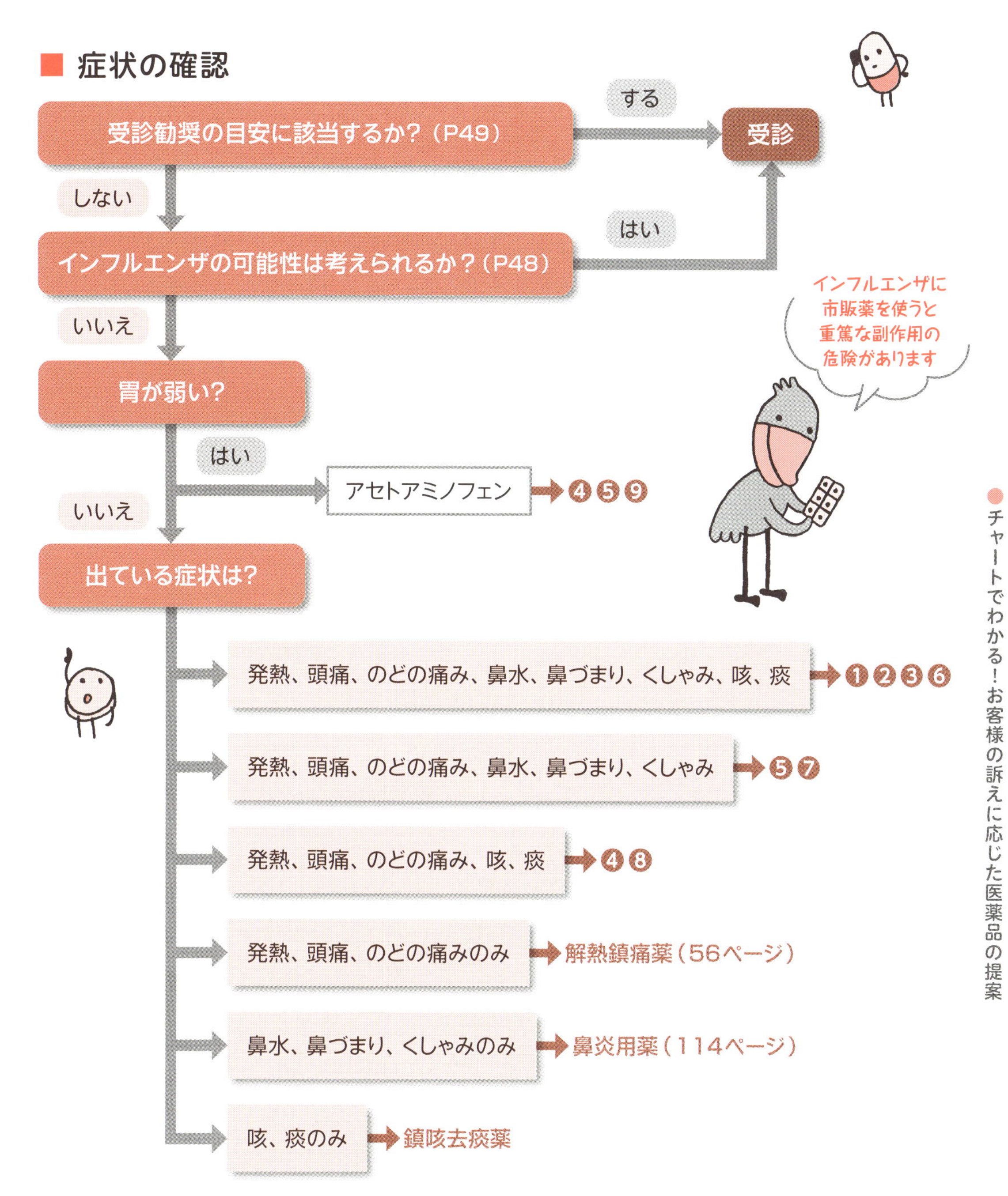

＊このチャート内の❶などの丸つき数字は、次ページの表「主な市販薬と成分」に掲載の医薬品の番号に対応しています。

主な市販薬と成分

副作用を
覚えよう!

分類	成分	❶ パブロンエースPro	❷ プレコール持続性カプセル	❸ パブロンsゴールドW	❹ 新ルルAゴールドS	❺ 新コンタックかぜ総合	❻ ベンザブロックーP	❼ エスタックイブファインEX	❽ ルルアタックNX	❾ 改源	特に注意したい副作用
解熱鎮痛成分	イブプロフェン	●					●	●	●		A
	アセトアミノフェン		●	●	●	●				●	B
	イソプロピルアンチピリン		●								C
抗ヒスタミン成分	クロルフェニラミンマレイン酸塩	●	●	●		●	●	●			D
	クレマスチンフマル酸塩				●				●		E
中枢性鎮咳成分	ジヒドロコデインリン酸塩水和物	●	●	●	●		●	●	●		F
	デキストロメトルファン臭化水素酸塩水和物					●					
	ノスカピン				●						
気管支拡張成分	メチルエフェドリン塩酸塩	●	●		●	●	●	●	●	●	G
去痰成分	ブロムヘキシン塩酸塩				●	●			●		
	アンブロキソール塩酸塩	●		●				●			
	L-カルボシステイン	●		●							
抗炎症成分	カンゾウエキス		●								H
その他		リボフラビン（ビタミンB_2）	無水カフェイン	リボフラビン（ビタミンB_2）	ベンフォチアミン、ベラドンナ総アルカロイド、無水カフェイン	無水カフェイン	無水カフェイン、ヘスペリジン	無水カフェイン、ヨウ化イソプロパミド、酸化マグネシウム	無水カフェイン、ベンフォチアミン、リボフラビン、ベラドンナ総アルカロイド	無水カフェイン、カンゾウ末、ケイヒ末、ショウキョウ末	

特に注意したい副作用

A イブプロフェン…食欲不振、胸やけ、胃痛、悪心が起こることがある

B アセトアミノフェン…倦怠感が現れることがある

C イソプロピルアンチピリン…薬疹が出ることがある

D クロルフェニラミンマレイン酸塩…尿が出にくくなることがある。眠気が現れることがある

E クレマスチンフマル酸塩…尿が出にくくなることがある。眠気が現れることがある

F ジヒドロコデインリン酸塩水和物…呼吸抑制、便秘、眠気が現れることがある

G メチルエフェドリン塩酸塩…血圧上昇、血糖値上昇、心拍数増加が現れることがある

H カンゾウエキス…むくみ、血圧上昇が現れることがある

インフルエンザの疑いで
受診をすすめるときには、
発症から12～48時間がベストな
タイミングであることも
合わせて伝えましょう

かぜ薬は万能薬??

「咳が出ているから薬が欲しい」「鼻水をとめる薬がほしい」「熱だけ出ているのだけど」
お客様からのそんな訴えにとりあえずかぜ薬をおすすめする。こんな対応をしていませんか?

咳や鼻水、熱が出ているから風邪だろうと勝手に判断し、安易にかぜ薬をおすすめすることは危険です。基本的に、出ていない症状に対する成分は必要ありません。むしろ副作用のリスクが高まるので避けましょう。咳だけ、鼻水だけ、熱だけのように、症状がかぎられている場合は、かぜ薬ではなく、その症状のみをおさえる商品をおすすめしましょう。具体的には、咳だけなら鎮咳去痰薬、鼻水だけなら鼻炎用内服薬、熱だけなら解熱鎮痛薬をおすすめするのがよいでしょう。

しかし、お客様がかぜ薬の購入を希望された場合、何の説明もせず薬効の異なる商品を販売すると、かぜなのにかぜ薬を売ってくれないというクレームにつながる恐れもあります。なぜこの薬をおすすめするのか、お客様の症状からこの商品をご提案する理由をしっかりと説明し、お客様の納得を得た上で購入していただくようにしましょう。

よくある質問

かぜはよくある疾患なので、接客する機会も多いです。かぜ薬の知識はもちろんのこと、生活上のアドバイスを含め、幅広い知識を持って質問に対応していきましょう。

Q1 頭痛がひどいので、かぜ薬と一緒に頭痛薬を飲んでもいいですか?

A 一般に、かぜ薬は解熱鎮痛成分が配合されているため、解熱鎮痛薬を併用すると成分の重複により副作用が現れる可能性が高くなります。**併用はしないように**してください。

Q2 添付文書に「5日間を超えて服用しないでください」とありますが、なぜですか?

A 一般的なかぜの症状は2〜3日で改善がみられます。そのため、5日以上症状の改善がみられない場合は、**他の疾患の可能性も考えられます**。その場合には、一般用医薬品で対処せず病院で受診することをおすすめします。

Q3 かぜ薬と一緒に、栄養補給のための栄養ドリンクが欲しいのですが。

A 栄養ドリンクにはカフェインが含まれている商品が多いため、同じくカフェインを含むかぜ薬と一緒に服用すると、**カフェインの過剰摂取になってしまいます**。興奮、心拍数の増加、不眠などの症状が現れることがあるのでノンカフェインのもの以外は避けてください。また、カフェインはコーヒーやエナジードリンクなどにも含まれているので、注意してください。

Q4 かぜのときにお風呂に入ってもいいですか?

A 症状や個人の体質など、**ケースによって判断は異なります**が、適温のお湯に短時間の入浴であれば問題はないでしょう。ただし、熱が高い場合はやめておきましょう。大切なのは湯冷めをしないようにすること。症状が悪化することもあるので、湯上がりはすぐに布団に入りましょう。

Q5 常備薬としてかぜ薬を購入するときに気をつけることは?

A かぜ薬にはビンに入っている商品が多いです。入っている錠数も多いため常備薬向きのように思われますが、服用する際にほかの錠剤に触れてしまったり、異物混入のリスクもあるため、衛生的に優れているとはいえません。粉薬に多い包装ですが、**薬が1回分ずつ小分けになっている商品のほうが長期保存に向いています**。

Q6 インフルエンザのようなのですが、すぐに受診しなくてはだめですか?

A 冬に高熱が出た場合、「インフルエンザが心配だからすぐに受診をしなきゃ!」という気持ちになるのはわかります。確かに、受診をして抗インフルエンザウイルス薬を処方してもらうと、発熱期間が短縮し、体力的にも楽になります。しかし、**受診は「発症後12〜48時間」が最適なタイミング**です。あまり早くに受診をするとまだウイルスの量が少なく、検査で正しい判定ができない可能性があります。また、抗インフルエンザウイルス薬は発症後48時間以内に服用するのがベストといわれています。

2 解熱鎮痛薬 ……… *Antipyretic analgesics*

販売されている商品の数が多く、選択に迷うかもしれません。
しかし、使用の目的や場面をしっかりと把握できれば、
提案する商品は比較的簡単にしぼりこむことができます。

痛みの原因

痛みは身体の危険信号です。私たちは身体の異常を痛みとして把握することができます。この痛みは、ブラジキニンという発痛物質によって引き起こされ、プロスタグランジンという発痛を増強する物質によって強められます。

■ 解熱鎮痛薬の適応となる主な症状

頭痛

緊張型頭痛、片頭痛、二日酔いの頭痛など原因はさまざま。重大な疾患が隠れていることもある。

月経痛

月経時に産生されるプロスタグランジンにより起こる。子宮の過度な収縮が痛みの主な原因。

関節痛

運動や日常動作による関節の疲労が原因となることが多い。関節リウマチなどの疾患が原因となるものもある。

歯痛

主な原因として、虫歯、歯周病などがある。放置すると症状が悪化することがあるので受診を優先する。

肩こり・腰痛・筋肉痛

筋肉の緊張や疲労によるものがほとんど。なかには重大な疾患が原因となる場合もある。

発熱

最も多いのはかぜによる発熱で、さらに感染症、アレルギー疾患など原因は多岐にわたる。

緊張型頭痛と片頭痛

頭痛で来店される方の症状の多くは緊張型頭痛か片頭痛のいずれか。薬以外の対処法やアドバイスも含め、それぞれの特徴をおさえておくとよい。

●**緊張型頭痛**：最も多く見られる頭痛で、長時間のデスクワークやストレスにより、血行が悪くなることで起きる。頭全体、もしくは後頭部の締めつけられるような痛みや、首や肩のコリを伴うことが多く、温めると楽になることが多い。

●**片頭痛**：20～40歳代の女性に多い頭痛で、頭部の血管が拡張することで起きる。ズキンズキンと脈を打つような強い痛みがあり、頭を動かすと痛みが悪化する。また、チカチカする光が見えたり、吐き気を伴うことがあり、冷やすと楽になることが多い。

解熱鎮痛薬の種類と特徴

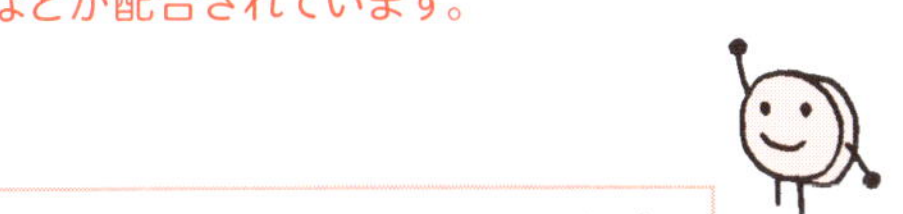

解熱鎮痛薬には、作用の中心となる解熱鎮痛成分のほか、催眠鎮静成分、制酸成分、鎮痛補助成分などが配合されています。

■ 解熱鎮痛薬の主な成分

解熱鎮痛成分	代表的なものに、アスピリン（アセチルサリチル酸）、アスピリンアルミニウム、エテンザミド、イブプロフェン、アセトアミノフェン、イソプロピルアンチピリンがある。アスピリン、アスピリンアルミニウム、エテンザミド、イブプロフェンは非ステロイド性抗炎症成分（NSAIDs）ともよばれる	
	アスピリン（アセチルサリチル酸）	中枢でのプロスタグランジン合成阻害作用により解熱、鎮痛の作用を示し、末梢でのプロスタグランジン合成阻害作用により炎症を緩和する。代表的な副作用としては胃腸障害がある
	エテンザミド	痛みの伝わりを抑える。ACE処方（A：アセトアミノフェン　C：カフェイン　E：エテンザミド）など、他の解熱鎮痛成分と一緒に配合されていることが多い
	イブプロフェン	アスピリンとほぼ同様の作用を示すが、末梢での炎症を緩和する効果に優れている。子宮への移行性も高いことから、月経痛にはよく使用される。アスピリンに比べ、胃腸への影響が少ないとされる
	アセトアミノフェン	中枢に作用し解熱鎮痛作用をもたらすが、末梢での抗炎症作用はほとんど期待できない。そのため、末梢での副作用（胃腸障害など）がほとんどないので、小児を含め、幅広く使用しやすい
	イソプロピルアンチピリン	ピリン系成分。解熱鎮痛作用に優れているが、炎症を緩和する効果はあまり期待できない
催眠鎮静成分		脳の興奮を抑えることにより、主に鎮痛作用を助ける目的で配合される。代表的なものに、アリルイソプロピルアセチル尿素、ブロモバレリル尿素がある。連用により薬物依存を生じることがある
カフェイン		鎮痛作用を助けるほか、中枢神経興奮作用により、疲労感の緩和、倦怠感をやわらげることを目的として配合される。ただし、催眠鎮静成分による眠気を解消できるわけではない
制酸成分		解熱鎮痛成分による胃粘膜への刺激をやわらげる目的で配合される。代表的なものに、合成ヒドロタルサイト（ダイバッファーHT）、乾燥水酸化アルミニウムゲル、酸化マグネシウムがある
その他		炎症を抑えるトラネキサム酸、発熱時に不足しがちなビタミンB類やビタミンCなどが配合される

販売時に気をつけること

全般

- 痛みは身体からの危険信号であるため、**薬を使用することで重大な疾患を見逃すこと**があります。頻繁に購入されている人には、受診を提案しましょう。
- 解熱鎮痛薬の適応となる「痛み」は、頭痛、歯痛、抜歯後の疼痛、咽頭痛、耳痛、関節痛、神経痛、腰痛、筋肉痛、肩こり痛、打撲痛、骨折痛、ねんざ痛、月経痛、外傷痛です。「痛み」の中でも、胃やお腹などの内臓痛には使用できません。
- 熱は、身体が免疫を高め、ウイルスなどの異物と戦っている証拠です。**やみくもに熱を下げることは避けましょう**。体力を消耗している、身体がつらい場合のみ、一時的に服用することを提案しましょう。

■ 頭痛

- 基礎疾患のない一次性頭痛と、基礎疾患から起こる二次性頭痛に分けられます。二次性頭痛にはくも膜下出血などの致命的な頭痛もあるので注意が必要です。お客様が「いつもの頭痛」と感じているようであれば、まずは心配ないと考えてよく、逆に、**「いつもとは違う痛み」と感じているようなら、受診**をすすめます。
- 「緊張型頭痛」には血行を促進する対処法、たとえば、首や肩を温める、ストレッチなどをおすすめしてもよいでしょう。一方、「片頭痛」では、血管が拡張して頭痛が起きるため、温めると症状が悪化することがあります。冷たいタオルなどでこめかみを冷やすと楽になる場合もあることも伝えましょう。
- チーズ、チョコレート、赤ワインは片頭痛の原因となるチラミンを多く含むため、可能なかぎり避けることも伝えましょう。

■ 月経痛

- 「薬は癖になるから、痛みが我慢できなくなってから飲む」という方がいますが、月経痛では症状が軽いうちに飲むことで、鎮痛効果が最大限に発揮されます。**薬を使うことに不安を感じている方には、飲むタイミング**を伝えましょう。ただし、毎月薬を使用している方には一度受診することをすすめましょう。

- 経血量が多い場合、痛みがひどく日常生活に支障がある場合は、子宮筋腫や子宮内膜症なども考えられるため、状況によって受診をすすめましょう。

■ 肩こり・筋肉痛

- 医療用医薬品の副作用で、筋肉痛が起こることがあります（横紋筋融解症など）。原因が思いつかない場合は、服用している薬の有無も確認しましょう。
- 軽い筋肉痛であれば、内服薬ではなく、外用消炎鎮痛薬（貼り薬、塗り薬、スプレーなど）で対処することも可能です。

受診勧奨の目安

- 発熱が３日以上続いている、悪化している
- いままでに経験したことのないような激しい痛み

頭痛	・頻繁にくり返す痛み ・徐々に強くなる痛み ・突然起こった激しい痛み ・高齢になってからの初めての頭痛 ・頭痛に伴う症状がある（物が二重に見える、手足にしびれや麻痺がある、吐き気や意識障害、うなじのあたりが硬いなど）
月経痛	・経血量が多い、だんだん多くなってきている ・痛みがひどく、日常生活に支障をきたしている
肩こり	・これまでに経験したことがなく、突然起こった原因不明の肩こり
関節痛	・関節の腫れや熱感がある、こわばりがある

こんな副作用に注意

解熱鎮痛成分	重大な副作用として、アナフィラキシーショック、皮膚粘膜眼症候群（指定難病／スティーブンス・ジョンソン症候群）、中毒性表皮壊死症（指定難病）がある。初期症状を覚えておくと、早期発見に役立つ	
	ショック（アナフィラキシー）	服用後すぐに、皮膚のかゆみ、じんましん、声のかすれ、くしゃみ、のどのかゆみ、息苦しさ、動悸、意識の混濁等が現れる
	皮膚粘膜眼症候群（スティーブンス・ジョンソン症候群）	高熱、目の充血、目やに、唇のただれ、のどの痛み、皮膚の広範囲の発疹・発赤等が持続、あるいは急激に悪化する
	アスピリン	血液を固まりにくくする作用があるため、歯科治療を受けている人、手術の予定がある人は使用を避ける
催眠鎮静成分		眠気が現れることがあるので、服用後、車や機械類の運転は避ける

■ 持病がある人への注意

喘息を起こしたことがある	非ステロイド性抗炎症成分（NSAIDs）は喘息を誘発するおそれがあるので使用を避ける
消化性潰瘍を発症	非ステロイド性抗炎症成分（NSAIDs）は症状を悪化させるおそれがあるため使用を避ける。 カフェインは胃酸分泌亢進作用があるため、使用を避ける
重度の腎臓病、重度の肝臓病	非ステロイド性抗炎症成分（NSAIDs）、アセトアミノフェンは症状を悪化させるおそれがあるため使用を避ける
透析治療中	アルミニウム含有成分はアルミニウム脳症、アルミニウム骨症を発症するおそれがあるため使用を避ける
痛風を発症	痛風発作の痛みにアスピリンを使用すると、症状が悪化することがあるので避ける
ピリン系薬剤の副作用（ピリン疹など）を経験	イソプロピルアンチピリンはピリン系成分なので使用を避ける

聴き取りのポイント

症状はもちろん、使用者の年齢や背景（眠くなるのはいや、授乳している、胃が弱いなど）によっても選択する商品は変わります。注意事項が多い薬ですので、慎重に情報を集めましょう。

■ 使用者の確認

高齢者	複数の薬を服用していることが多いので、飲み合わせに注意が必要。薬剤師と連携しながら確認していく。心機能・肝機能・腎機能が低下していることも多く、薬の作用が強く現れ、副作用が出やすいので、一般の使用者に比べ、より注意が必要
妊婦	妊婦、または妊娠していると思われる女性には、原則として受診をおすすめする。非ステロイド性抗炎症成分（NSAIDs）、イソプロピルアンチピリンは、妊娠期間の延長や子宮収縮の抑制、分娩時の出血の増加などのおそれがあるため、出産予定日12週以内の妊婦には使用してはならない ブロモバレリル尿素は胎児に悪影響を与えるおそれがあるため、使用を避ける
授乳婦	アスピリン、アスピリンアルミニウム、カフェインは母乳中へ移行しやすいので、使用してはならない。イブプロフェン、アセトアミノフェン配合の製品を提案 【例】・タイレノールA ・リングルアイビーα200
小児	15歳未満の小児には、アセトアミノフェンが配合された小児用の製品を提案

症状の確認

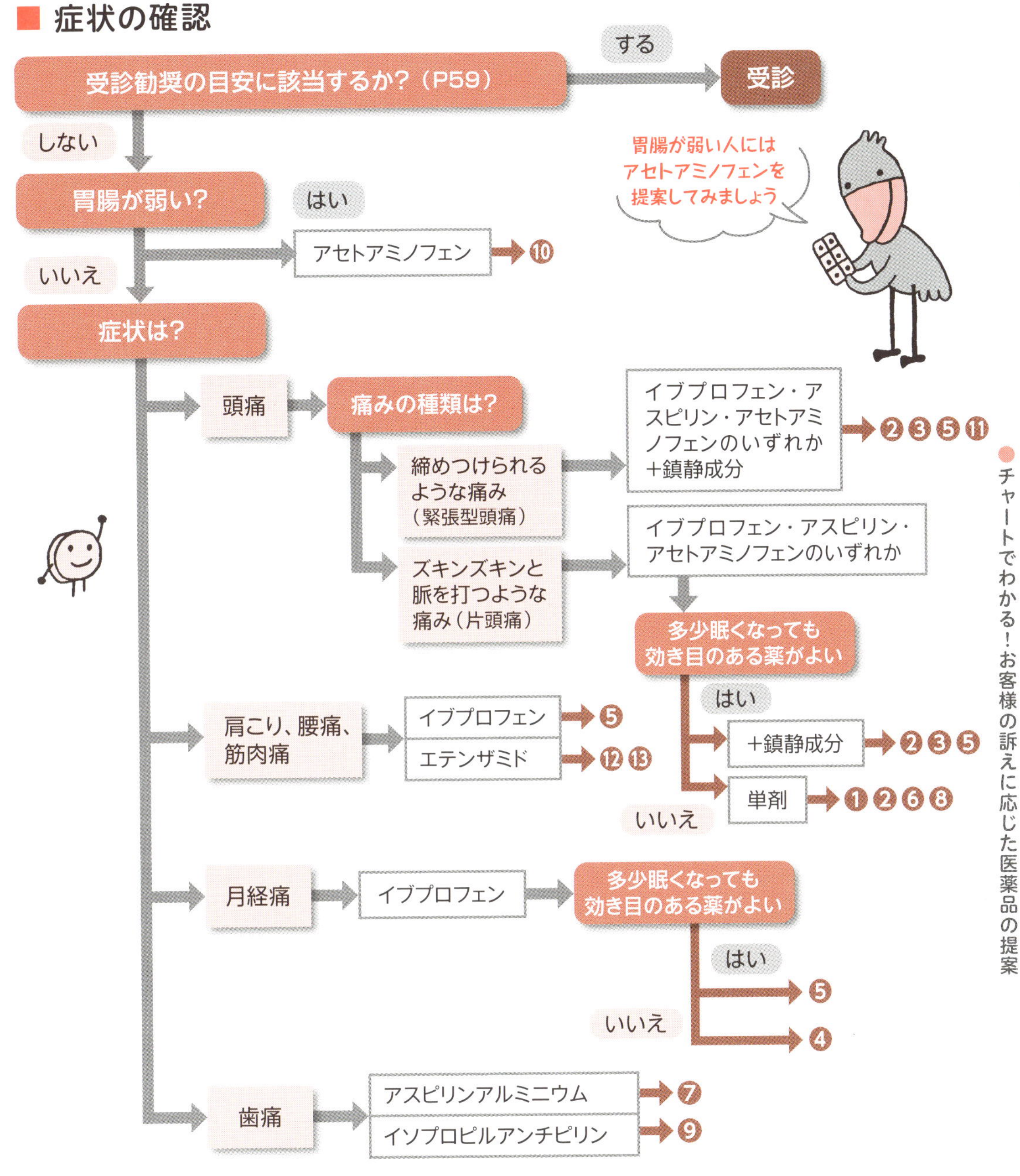

＊このチャート内の❶などの丸つき数字は、次ページの表「主な市販薬と成分」に掲載の医薬品の番号に対応しています。

主な市販薬と成分

分類	成分	❶ リングルアイビーα200	❷ イブA錠	❸ イブクイック頭痛薬DX	❹ バファリンルナi	❺ ナロンエースT	❻ バファリンA	❼ 歯痛リングル	❽ バイエルアスピリン	❾ サリドンA	❿ タイレノールA	⓫ サリドンエース	⓬ ノーシン錠	⓭ コリホグス	特に注意したい副作用
解熱鎮痛成分	アスピリン						●		●						A
	アスピリンアルミニウム							●							B
	エテンザミド					●				●		●	●	●	C
	イブプロフェン	●	●	●	●	●									D
	アセトアミノフェン				●						●	●	●		E
	イソプロピルアンチピリン									●					F
催眠鎮静成分	アリルイソプロピルアセチル尿素		●	●											G
	ブロモバレリル尿素					●		●				●			H
制酸成分	合成ヒドロタルサイト（ダイバッファーHT）						●								I
	乾燥水酸化アルミニウムゲル				●										J
	酸化マグネシウム			●											K
その他	カフェイン		●	●	●	●		●		●		●	●	●	
														クロルゾキサゾン（筋肉緊張緩和成分）	

特に注意したい副作用

A アスピリン…食欲不振、胸やけ、胃痛、悪心が起こることがある
B アスピリンアルミニウム…食欲不振、胸やけ、胃痛、悪心が起こることがある
C エテンザミド…食欲不振、胸やけ、胃痛、悪心が起こることがある
D イブプロフェン…食欲不振、胸やけ、胃痛、悪心が起こることがある
E アセトアミノフェン…倦怠感が起こることがある
F イソプロピルアンチピリン…食欲不振、胸やけ、胃痛、悪心が起こることがある。皮膚に湿疹が出ることがある
G アリルイソプロピルアセチル尿素…眠気が現れることがある。長期連用を避ける
H ブロモバレリル尿素…眠気が現れることがある。長期連用を避ける
I 合成ヒドロタルサイト…お腹がゆるくなることがある
J 乾燥水酸化アルミニウムゲル…お腹がゆるくなることがある
K 酸化マグネシウム…お腹がゆるくなることがある

Column 片頭痛の人には和食がおすすめ？

片頭痛の人はマグネシウムが不足しているといわれています。マグネシウムを摂取することで脳の代謝異常が改善され、症状の緩和・予防に有効とされています。

マグネシウムは海藻、大豆食品に多く含まれています。片頭痛のお客様には、海藻や大豆を多く摂ることのできる和食中心の食事をすすめてもよいでしょう。

マグネシウムをサプリメントで摂取する方法もありますが、過剰に摂取すると、お腹がゆるくなったり、高マグネシウム血症を引き起こすこともあるので適正な量の摂取が重要であることを伝えましょう。

よくある質問

痛みはその原因がさまざまです。裏に予想外の病気が隠されていることもあるので、幅広い知識を持っておき、お客様の症状をいろいろな角度から考えられるようにしておきましょう。

Q1 頻繁に薬を飲んでいるのに頭痛がおさまらないのですが?

A **薬の使いすぎで頭痛が起きている可能性**があります。この頭痛を薬物乱用頭痛といいます。頭痛持ちの人は予防的に薬を使用してしまいがちです。市販の解熱鎮痛薬を1か月に10日以上、3か月を超えて使用している場合には薬物乱用頭痛の可能性が考えられます。頭痛外来の受診を提案するのもよいですね。

Q2 カフェインの摂取をやめると頭痛になるって本当ですか?

A カフェインは血管を収縮させる作用があるため、頭痛に対する弱い鎮痛効果があります。しかし、カフェインを1日200mg以上、2週間以上続けている方が、いきなりカフェインの摂取をやめると、逆に頭痛を生じる場合があります。これを**カフェイン離脱頭痛**といいます。
カフェインは一般用医薬品でよく使用されている成分ですが、コーヒー、紅茶、緑茶やコーラなどの飲料にも含まれていますので、ご自身でも気づかないうちに過剰摂取となっていることがあります。

Q3 どの薬が一番効きますか?強いですか?

A アセトアミノフェンよりイブプロフェンのほうが痛みを抑える効果が強いといった、教科書上の知識としての「強さ」はもちろん存在します。
しかし、**頭痛の場合には「一番状況に合った薬」が「一番効く薬」**なのです。痛みが出ている場所、眠くなりたくない、胃が弱い、などさまざまな条件を考慮して、いまのお客様にとって「一番効く薬」を検討することが大切です。
よく効く薬をご提案するため、くわしい症状をお伺いしましょう。

Q4 「経血量が多い」とはどのくらいですか?

A「経血量が多い」といっても、自分の経血量が正常か、そうでないかの判断はむずかしいものです。月経痛とともに、経血量が多い、またはだんだん多くなってきている場合は**子宮内膜症や子宮筋腫などの疾患の可能性**が考えられます。
簡単な判断基準にはなりますが、次の2点に該当するようでしたら、一度受診してみてはいかがでしょうか。
・昼でも夜用のナプキンを使わなければならない
・生理用品を1時間ほどで交換しなければならない

Q5 肩こりは心筋梗塞と関係あるのですか?

A 心筋梗塞や狭心症は、心臓周辺の胸部に痛みが出ると思われていますが、実際には**心臓から離れた場所に症状が出る**こともあります。その痛みは「関連痛」とよばれ、肩こりや歯痛、背中の痛み、腕の痛みなど上半身すべてに出る可能性があるので覚えておくと、いざという時の早期発見に役立ちます。

購入する薬への
信頼感は、プラセボ効果という
大切な作用のひとつとなります。
皆さんの説明次第で薬の効果が
変わることを覚えておいて
ください

3 胃腸薬 ……… *Gastrointestinal medicine*

ストレス社会と言われる近年、胃腸の不調を訴えられる方は増加傾向にあります。胃腸薬といっても、その働きはさまざま。症状に合った薬をご案内できるようにしておきましょう。

胃のトラブル

胃のトラブルは、症状も、原因も、人によってさまざま。同じ症状であっても人によって表現が異なり、判断を間違うこともあります。症状を聞く際には、くわしく正確に聴き取りましょう。

■ 胃腸薬の適応となる主な症状

胃の痛み

胃酸過多や、胃粘液の分泌減少によって起こる。シクシクやズキズキという表現をする人が多い。

さしこむような胃の痛み

胃の筋肉の痙攣や緊張によって起こる。自律神経の乱れなどが原因。

胃もたれ

胃が重たく感じられる症状。胃の動きが悪い、暴飲暴食に伴う消化不良などにより起こる。

胸やけ

みぞおちあたりが焼けるように感じる症状。胃酸が食道に逆流し、粘膜を刺激することが原因。

消化不良

みぞおちあたりに起こる痛みや不快感。食べすぎ、飲みすぎ、脂っこいものを食べたときなどに起こりやすい。

食欲不振

一過性のものにかぎり対応可能。重大な疾患や薬の副作用が原因の場合もあり、注意が必要。

悪心・嘔吐

食べすぎ、飲みすぎによる一過性のものにかぎり対応可能。思い当たる原因がない場合は受診勧奨。

腹部膨満感

食後すぐに感じる場合は消化不良。食後、時間をおいて起きるのは胃酸で胃が荒れている可能性も。

胃腸薬の種類と特徴

さまざまな症状に対応するため、胃腸薬には多くの種類があります。症状によって商品の特徴は異なるため、それぞれ特徴をおさえておきましょう。

■ 胃腸薬の分類

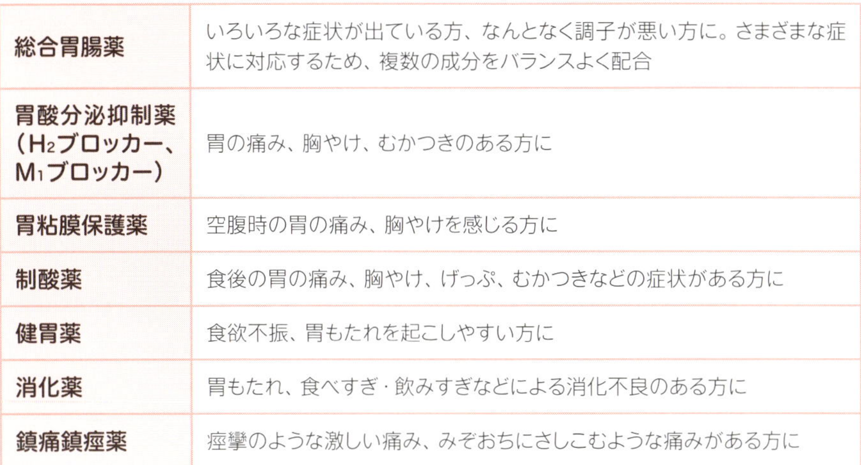

総合胃腸薬	いろいろな症状が出ている方、なんとなく調子が悪い方に。さまざまな症状に対応するため、複数の成分をバランスよく配合
胃酸分泌抑制薬（H_2ブロッカー、M_1ブロッカー）	胃の痛み、胸やけ、むかつきのある方に
胃粘膜保護薬	空腹時の胃の痛み、胸やけを感じる方に
制酸薬	食後の胃の痛み、胸やけ、げっぷ、むかつきなどの症状がある方に
健胃薬	食欲不振、胃もたれを起こしやすい方に
消化薬	胃もたれ、食べすぎ・飲みすぎなどによる消化不良のある方に
鎮痛鎮痙薬	痙攣のような激しい痛み、みぞおちにさしこむような痛みがある方に

H_2ブロッカーが配合されているものは第一類医薬品ですが、お客様から問い合わせが多いため、参照用に掲載しています。

胃腸薬と炭酸飲料のビミョーな関係

近ごろ流行りの無糖炭酸水。ふだんから水分補給は炭酸水のみで、薬も炭酸水で飲む、というのもよくある話かもしれません。しかし、薬によっては効き目に影響することもあるので、ちょっとした注意が必要です。その代表的なものが制酸薬です。

制酸薬と炭酸飲料を一緒に飲むと、制酸成分が炭酸の中和に使われてしまうため、胃酸を中和するという本来の効果が弱まってしまうのです。制酸薬は、炭酸飲料を飲んだら、2時間くらい間隔をあけてから飲むように案内しましょう。

■ 胃腸薬の主な成分

成分		説明
胃粘膜保護成分		胃粘膜の血流を増加させ、荒れた胃粘膜を保護する 代表的なものは、スクラルファート、テプレノン、セトラキサート塩酸塩、アルジオキサ、アズレンスルホン酸ナトリウム、L-グルタミン
制酸成分		出すぎている胃酸を中和し、その働きを弱める 代表的なものは、炭酸水素ナトリウム（重曹）、メタケイ酸アルミン酸マグネシウム、水酸化マグネシウム、炭酸マグネシウム、沈降炭酸カルシウム、合成ケイ酸アルミニウム、合成ヒドロタルサイト、サナルミン
消化成分		消化酵素と同様の働きで、消化を助ける
	プロザイム	タンパク質の消化を助ける
	リパーゼ	脂質の消化を助ける
	ジアスターゼ	炭水化物やでんぷんの消化を助ける
	ビオヂアスターゼ	でんぷんの消化を助ける
	ニューラーゼ	脂質とタンパク質の消化を助ける
胃酸分泌抑制成分		過剰な胃酸の分泌を抑制する。H_2ブロッカー（ファモチジン、シメチジン、ラニチジン塩酸塩、ニザチジンが代表的な成分）、抗コリン成分（ピレンゼピン塩酸塩水和物、ロートエキスが代表的な成分）
鎮痛鎮痙成分	**抗コリン成分**	胃腸の痙攣を緩和し、痛みを抑える 代表的なものは、ブチルスコポラミン臭化物、ロートエキス
	パパベリン塩酸塩	胃腸の筋肉に直接働き、痙攣を緩和する
健胃成分		弱った胃腸の働きを回復させる。代表的なものはカルニチン塩化物、トリメブチンマレイン酸塩 また、健胃生薬はその独特の香りや味により、唾液や胃酸の分泌を促し、消化を助ける。ゲンチアナ、オウバク、オウレン、ケイヒ、ウイキョウ、ショウキョウなどが配合される。苦味健胃薬（ゲンチアナ、オウバク、オウレンなど）、芳香性健胃薬（ケイヒ、ウイキョウなど）
胃腸機能調整成分		胃腸の機能を調整する 代表的なものは、トリメブチンマレイン酸塩、カルニチン塩化物
局所麻酔成分		麻酔作用により胃の痛みをやわらげる 代表的なものは、アミノ安息香酸エチル、オキセサゼイン

販売時に気をつけること

全般

- 胃腸薬は**目的により、服用するタイミングが異なります**。消化を助け、胃もたれを改善し、胃をすっきりさせる薬は、食後服用のものが多いです。また、胸やけ、胃酸の出すぎなどを抑える薬は、食間や就寝前の服用のものが多く、どちらの効果もある薬は、食後または食間の服用指示のものが多いです。添付文書をよく確認しておきましょう。
- 総合胃腸薬は、販売時に配合成分をよく確認することが大切です。どんな症状にも効果を発揮する総合胃腸薬は、だれにでもすすめやすいですが、**症状がある程度、想定できる場合には、その症状に合った薬**をすすめましょう。効果的に症状が改善されるだけでなく、**不必要な成分による副作用などの悪影響を避ける**ことができます。
- 健胃生薬は、香りや味を感じることで反射的に胃酸の分泌を促すため、オブラートで包むなどして服用すると、効果が十分に発揮されないことがあります。健胃生薬が配合された粉薬を販売する際には、必ず説明をしましょう。

■ 生活習慣のアドバイス

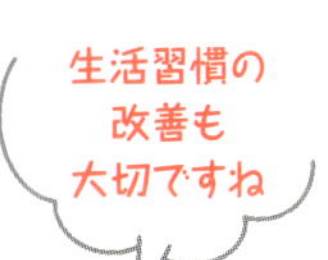

- ストレスをためないようにしましょう
- 暴飲暴食は避けましょう
- 朝、昼、夕と、決まった時間に食事をしましょう
- 適度な運動は食欲を増進させ、消化を助けるため、軽めの運動をしましょう
- 適量のアルコールはよいですが、飲みすぎは胃粘膜を荒らすため控えめにしましょう
- 睡眠を十分にとりましょう
- 喫煙は胃粘膜の血流を阻害するため、可能なかぎり禁煙しましょう

■ 受診勧奨の目安

症状	• 胃・十二指腸潰瘍の疑いがある • 再発をくり返す • 激痛、痛みが増強していく • 発熱、嘔吐、下痢、便秘の症状がある • 症状が長期間(2週間以上)続いている • 体重減少がある • 黒い便(血便)が出ている • 症状について原因がまったく思い当たらない • 2〜3日服用しても症状が改善されない

■ こんな副作用に注意

抗コリン成分	口渇や便秘が現れることがあり、また、目のかすみやまぶしさが現れることがある。薬を服用した後は乗り物または機械類の運転操作をしてはならない
マグネシウム含有製剤	下痢を起こすことがある
カルシウム含有製剤	便秘を起こすことがある
アルミニウム含有製剤	長期連用で、アルミニウム脳症やアルミニウム骨症を起こすおそれがある
アミノ安息香酸エチル、オキセサゼイン	口の中で噛み砕いたり、長時間口の中に含んでいると、麻痺やしびれを感じる可能性があるので、噛み砕かずそのまま速やかに服用する

アルミニウムには気をつけて

胃腸薬では特に注意が必要なアルミニウム。長期連用などで体内に蓄積したアルミニウムが脳に沈着するとアルミニウム脳症を発症し、言語障害、記憶障害などが現れます。

アルミニウムが骨に沈着するとアルミニウム骨症となり、骨がもろくなったり、痛くなるという症状が現れます。

このように主な副作用については、初期症状を必ず覚えておきましょう。お客様からの訴えに、もしや?と気づけることも登録販売者の大切な役割。症状がひどくなる前に気づいてあげたいですよね。特に透析患者はアルミニウムが体外に排出されにくいため、使用が禁止されています。聴き取りの際の重要ポイントとして忘れないようにしましょう。

持病がある人への注意

非ステロイド性抗炎症薬、副腎皮質ステロイド、骨粗鬆症治療薬（ビスホスホネート薬）を服用している	薬の副作用から胃痛を起こしている可能性があるため、受診をすすめる
透析治療中	アルミニウムを含む成分は、アルミニウム脳症、アルミニウム骨症を発症するおそれがあるため使用してはならない
血栓がある、または血栓症を起こすおそれがある	セトラキサート塩酸塩は体内で代謝され、トラネキサム酸となる。トラネキサム酸は血栓を溶かしにくくさせる作用があるため、注意が必要
心臓病、緑内障、排尿障害がある	抗コリン成分により症状が悪化するおそれがあるため使用を避ける
心臓病	H_2ブロッカーは不整脈を起こすおそれがあるため、使用を避ける
高血圧	ナトリウムを含んだ成分は血圧を上げるおそれがあるため注意が必要
腎臓病	H_2ブロッカーは作用が強く現れるおそれがあるので使用を避ける ナトリウム、マグネシウム、アルミニウム、カルシウムなどの無機塩類は排泄が遅れ、血中濃度が上がるおそれがあるので注意が必要
膵炎	カルニチン塩酸塩は症状を悪化させるおそれがあるため、使用を避ける

飲み合わせ

H_2ブロッカーとそのほかの胃腸薬	作用が強く現れることがあるため、併用はしないこと
H_2ブロッカーと水虫薬（アゾール系抗真菌薬）	胃酸の分泌を抑えることで、アゾール系抗真菌薬の吸収が低下し、作用が減弱してしまうため、併用はしないこと

聴き取りのポイント

胃腸のトラブルは生活習慣が大きく関係しています。具体的な症状はもちろんですが、日頃の生活習慣、ストレスの有無など、さまざまな視点から聴き取りを行い、適切な薬を探し出します。

■ 使用者の確認

高齢者	加齢により胃腸の動きが弱っている可能性が高く、消化に時間がかかり、胸やけや胃もたれが起こりやすい H_2ブロッカーは、80歳以上の高齢者では使用を避ける 抗コリン成分は、口渇や排尿困難の副作用が起こりやすいため、注意が必要
妊婦	妊婦、または妊娠していると思われる女性には、原則として受診をすすめる H_2ブロッカー、カルニチン塩酸塩、トリメブチンマレイン酸塩、胃腸機能調整成分、局所麻酔成分は、妊婦に対する安全性が確立していないため、使用を避ける 抗コリン薬、ウルソデオキシコール酸は胎児に影響を与える可能性があるため使用を避ける
授乳婦	H_2ブロッカー、アミノ安息香酸エチル、オキセサゼインは母乳に移行することがあるので使用を避ける ロートエキスは母乳に移行しやすく、乳児に頻脈を生じるおそれがあるため使用を避ける
小児	アミノ安息香酸エチルはメトヘモグロビン血症を発症するおそれがあるため、6歳未満には使用を避ける H_2ブロッカー、オキセサゼインは安全性が確認されていないため、使用を避ける

胃に優しいキャベツ

キャベツから生まれた胃腸薬があるって知っていますか?

キャベツから発見されたメチルメチオニンスルホニウムクロリド(MMSC)という成分。別名ビタミンUとも呼ばれますが、もうひとつの別名はキャベジンといいます。
この成分の名前を商品名の由来としたものがご存知のキャベジンコーワαです。古くから販売されている胃腸薬ですよね。

キャベジンはタンパク質の合成を促進し、傷ついた胃腸粘膜を修復する働きがあり、キャベツのほかにもレタスやトマトにも多く含まれています。

居酒屋さんのお通しで生のキャベツが出てきたという経験がある人もいると思いますが、胃を荒らしやすいアルコールを飲む前にキャベツを食べておく、というのはキャベジンの効果を期待したお店の計らいかもしれませんね。

キャベツは一年中手に入れやすい野菜ですので、胃の疲れが気になる方は毎日の食事に取り入れてみましょう。ただし、キャベジンは水溶性ですので、洗う際に水に長時間つけたままにしておくと溶け出してしまいます。手早く洗い、調理しましょう。生で食べるのがおすすめですが、量をたくさん摂れないという方はスープにして煮汁を取り逃がさないように食べるのもよいでしょう。

■ 症状の確認

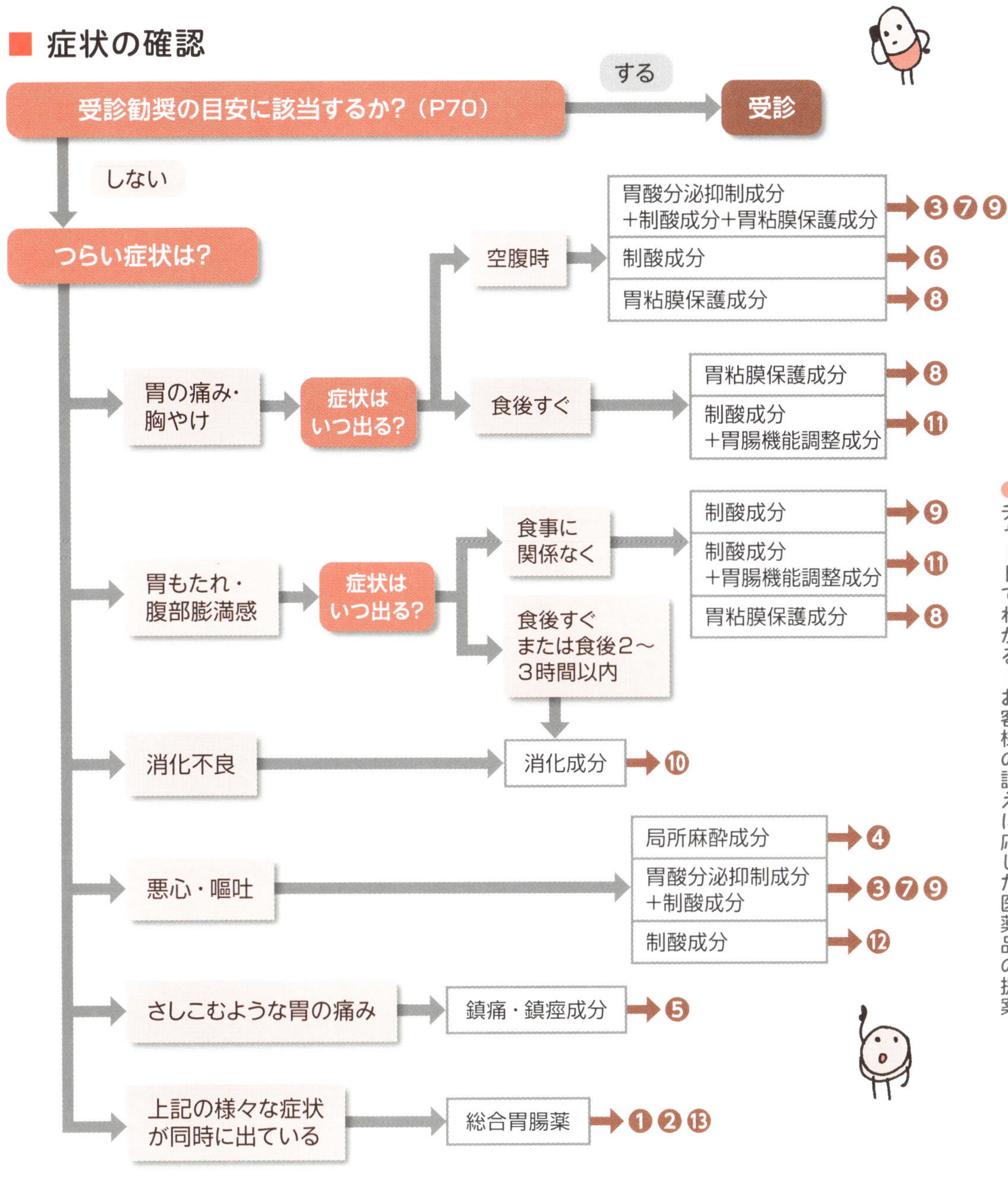

*このチャート内の❶などの丸つき数字は、次ページの表「主な市販薬と成分」に掲載の医薬品の番号に対応しています。

主な市販薬と成分

分類	成分	①第一三共胃腸薬〔細粒〕a	②太田胃散	③パンシロンキュアSP	④サクロンQ	⑤ブスコパンA錠	⑥ガスター10〈第一類医薬品〉	⑦スクラート胃腸薬〔錠剤〕	⑧セルベール	⑨シロンS	⑩ビオフェルミン健胃消化薬錠	⑪タナベ胃腸薬〈調律〉	⑫液キャベコーワL	⑬キャベジンコーワα	特に注意したい副作用
胃粘膜保護成分	スクラルファート水和物							●							
	テプレノン								●						
	アズレンスルホン酸ナトリウム							●							
	L-グルタミン							●							
	アルジオキサ			●											
	メチルメチオニンスルホニウムクロリド													●	
制酸成分	炭酸水素ナトリウム		●	●				●		●		●		●	
	ケイ酸アルミン酸マグネシウム	●										●			A
	水酸化マグネシウム	●		●											B
	炭酸マグネシウム		●							●				●	C
	沈降炭酸カルシウム		●	●						●		●		●	D
	サナルミン									●					
	合成ケイ酸アルミニウム		●												E
	合成ヒドロタルサイト	●		●				●					●		F
消化成分	プロザイム									●					
	リパーゼ	●						●			●	●		●	
	ビオヂアスターゼ		●							●	●	●		●	
	ニューラーゼ										●				
	タカヂアスターゼ	●													
H_2ブロッカー	ファモチジン						●								
抗コリン成分	ピレンゼピン塩酸塩水和物			●											G
	ロートエキス	●						●		●		●		●	H
鎮痛鎮痙成分	ブチルスコポラミン臭化物					●									

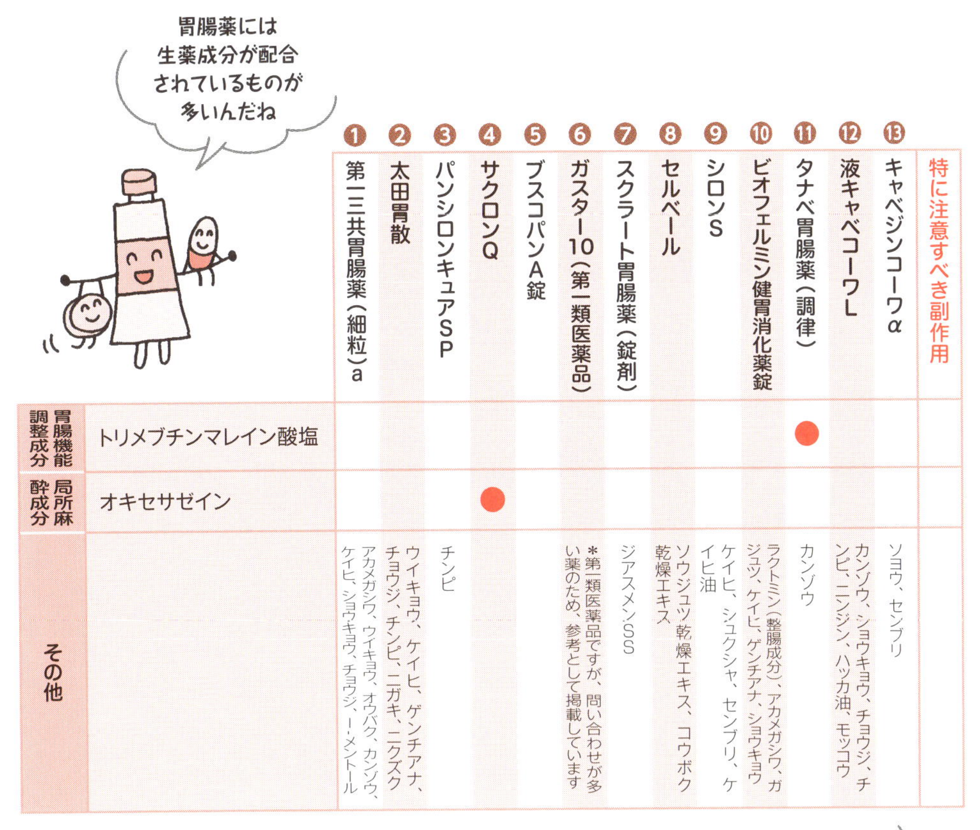

分類	成分	❶第一三共胃腸薬（細粒）a	❷太田胃散	❸パンシロンキュアSP	❹サクロンQ	❺ブスコパンA錠	❻ガスター10（第一類医薬品）	❼スクラート胃腸薬（錠剤）	❽セルベール	❾シロンS	❿ビオフェルミン健胃消化薬錠	⓫タナベ胃腸薬（調律）	⓬液キャベコーワL	⓭キャベジンコーワα	特に注意すべき副作用
胃腸機能調整成分	トリメブチンマレイン酸塩											●			
局所麻酔成分	オキセサゼイン				●										
その他		アカメガシワ、ウイキョウ、オウバク、カンゾウ、ケイヒ、ショウキョウ、チョウジ、l-メントール	ウイキョウ、ケイヒ、ゲンチアナ、チョウジ、チンピ、ニガキ、ニクズク	チンピ			*第一類医薬品ですが、問い合わせが多い薬のため、参考として掲載しています	ジアスメンSS	ソウジュツ乾燥エキス、コウボク乾燥エキス	ケイヒ、シュクシャ、センブリ、ケイヒ油	ラクトミン（整腸成分）、アカメガシワ、ガジュツ、ケイヒ、ゲンチアナ、ショウキョウ	カンゾウ	カンゾウ、ショウキョウ、チョウジ、チンピ、ニンジン、ハッカ油、モッコウ	ソヨウ、センブリ	

H2ブロッカーが配合された薬（❻など）は第一類医薬品であるため登録販売者は販売できませんが、お客様からの問い合わせが多いので掲載しています

特に注意したい副作用

A ケイ酸アルミン酸マグネシウム…下痢が現れることがある
B 水酸化マグネシウム…下痢が現れることがある
C 炭酸マグネシウム…下痢が現れることがある
D 沈降炭酸カルシウム…便秘が現れることがある
E 合成ケイ酸アルミニウム…下痢が現れることがある
F 合成ヒドロタルサイト…下痢が現れることがある
G ピレンゼピン塩酸塩水和物…排尿困難、目のかすみ、まぶしさが現れることがある
H ロートエキス…便秘、排尿困難、目のかすみ、まぶしさが現れることがある

よくある質問

胃腸は食事や嗜好品、ストレスなどの生活習慣の影響を強く受けます。単に薬を販売するだけでなく、症状が出ないようにするためのアドバイスもできるとよいですね。

Q1 食事で気をつけることはありますか?

A 胃のトラブルが出やすい方は食生活が乱れていることが多いようです。1日1食ですませたり、食事を摂る時間がバラバラだったりなど、胃が空っぽになる時間が多いほど、胃酸で胃が荒れやすくなります。可能なかぎり、**1日3食を決まった時間に食べるように心がけて**ください。すでに胃にトラブルが出ているときは、胃粘膜の材料となるタンパク質をしっかり摂ってください。胃の中に長時間残るような脂っこい食べ物は避けます。香辛料や塩分を多く含むもの、カフェインも、胃酸の分泌を促すため控えましょう。

Q2 ストレスを受けると胃が痛くなるのはなぜでしょう?

A 通常、**胃は胃粘液などの「防御因子」**と、**胃酸などの「攻撃因子」**がバランスを保ちながらその働きを制御しています。ところが、強いストレスを受けることにより、防御因子の働きが弱まり、攻撃因子の働きが強まります。その結果、胃酸が胃の壁を攻撃して、胃の痛みが引き起こされるのです。

Q3 みぞおちのあたりが、たまにしめつけられるように痛むのですが?

A 心筋梗塞や狭心症は、心臓周辺の胸部に痛みが出ると思われていますが、実際には心臓から離れた場所に痛みが出ることもあります。その痛みは「**関連痛**」とよばれ、みぞおちや背中の痛み、肩こりや歯痛、腕の痛みなど上半身すべてに現れる可能性があります。この痛みは数分から10分程度続くとおさまるのが特徴です。
胃痛だと思っていても、じつは心臓の病気だという可能性もあります。**心配なようでしたら受診**することをおすすめします。

Q4 電車に乗ると必ずお腹が痛くなるのですが?

A 過敏性腸症候群という病気があります。ストレスにより、腹痛や、便秘・下痢などがくり返し起こる病気です。出社前の電車の中、試験前など、身体が緊張状態にあるときやストレスが強くかかるときに起こりやすいといわれています。
一般の方が購入できる薬として、2014年に胃腸機能調整成分のトリメブチンマレイン酸塩が過敏性腸症候群の症状改善の効能を取得して、発売されています。現在、**過敏性腸症候群の効能を取得した商品は要指導医薬品に指定**されています。薬剤師でないと販売できませんので、お悩みでしたら薬剤師から販売するようにいたします。

4 整腸薬・止瀉薬 …… Intestinal regulators and anti-diarrheals

腸は生活習慣やストレスなどの影響を強く受けます。症状からまずは原因を考え、一般用医薬品としての止瀉薬（ししゃやく）で対応可能かどうかを判断したのちに、薬を選択するようにしましょう。

下痢の原因

下痢は、食あたり・水あたりのような感染性のもの、冷え、ストレスなど自律神経の乱れによるもの、暴飲暴食によるものなどがあります。適切な薬を販売するためには、その原因を適切に推測できるかがカギとなります。

下痢の主な原因

食あたり・水あたり

細菌やウイルスによる下痢。感染性による下痢は発熱や吐き気など、他の症状を伴うことが多い。

暴飲暴食

アルコールの摂りすぎ、香辛料、冷たい飲食物によるものが多い。疲れているときに起こりやすい。

ストレス・緊張

副交感神経が刺激され腸が動きすぎ、水が十分吸収されずに排出される状態。腹痛を伴うことも多い。

冷え

冷たい飲食物をとることで、胃腸の血行が悪くなり、消化機能が低下することで下痢が起こることがある。

食品の成分

ノンシュガーの甘味料など、食品の成分の作用で腸内に水が増えることで下痢になることがある。

生理

月経時に分泌されるプロスタグランジンにより腸が収縮することがある。

過敏性腸症候群

検査を受けても特段の異常がないのに、下痢や便秘、腹痛などの症状が慢性的にくり返し起こる病気を「過敏性腸症候群」という。「職場に行こうとするとお腹が痛くなる」「試験前になると下痢をする」など、さまざまな症状がある。主な原因はストレスとされ、下痢が続いたり、治まったりをくり返す。下痢だけのこともあれば、下痢と便秘が交互に起こることもある。

整腸薬・止瀉薬の種類と特徴

下痢に対しては考えられる原因によって、整腸薬と止瀉薬を使い分けます。やみくもに止瀉薬を使用するのは危険が伴うため、注意しましょう。

■ 整腸薬と止瀉薬

整腸薬	乳酸菌などの生菌成分の働きを利用して、腸内環境を整える。ふだんからお腹のトラブルが出やすい人は日常的に使用できる
止瀉薬	下痢を止める薬。下痢が止まり次第使用をやめる。作用の仕方によっていくつか種類があるので、症状により合うものをすすめる

■ 整腸薬・止瀉薬の主な成分

生菌成分	腸内で善玉菌を増やし、腸内環境を整える 代表的なものに、乳酸菌類（ビフィズス菌、フェーカリス菌、ラクトミン、アシドフィルス菌、ガセリ菌など）や酪酸菌、納豆菌がある
腸管運動抑制成分	腸の異常収縮を抑えたり、腸への水分の分泌を抑える 代表的なものに、ロートエキス、ロペラミド塩酸塩がある
殺菌成分	腸内の有害な細菌を殺菌する働きがある 代表的なものに、ベルベリン塩化物、タンニン酸ベルベリンがある 食あたり・水あたりなどの感染性の下痢にも使用可能
収れん成分	腸粘膜をひきしめて保護し、腸の動きを抑制する 代表的なものに、タンニン酸アルブミン、ビスマス類（次硝酸ビスマス、次没食子酸ビスマス）がある
吸着成分	腸の過剰な水分や有害物質などを吸着し、除去する 代表的なものに、天然ケイ酸アルミニウム、沈降炭酸カルシウムがある
消泡成分	胃腸内のガスを除去し、膨満感を緩和する 代表的なものに、ジメチルポリシロキサンがある
生薬成分	センブリ、ケイヒ、ゲンノショウコなど
腸管運動調整成分	腸の動きを正常化し、水分分泌を調整する 代表的なものに木クレオソートがある

販売時に気をつけること

全般

- 一般的に４週間以内の下痢を「**急性下痢**」、それ以上続く下痢を「**慢性下痢**」とよびます。「慢性下痢」は受診勧奨の対象です。症状が出ている期間を確認しましょう。
- 食あたりや水あたりによる下痢は、原因となっている細菌やウイルスを体外に排出させるための身体の防御反応から起こります。止瀉薬を使用することで、細菌やウイルスが長く体内にとどまり、かえって症状を悪化させるので注意が必要です。このような場合は殺菌成分の配合された止瀉薬や、整腸剤を案内しましょう。
- 下痢の中でも**特に注意したいのは、感染性の下痢**です。感染性の下痢はウイルス性（ノロウイルス、ロタウイルスなど）と、細菌性（サルモネラ菌など）があります。どちらも、下痢と同時に発熱や吐き気、血便などを伴うことが多いため、それらの症状がある場合には受診をすすめましょう。
- 重症でない場合には一般用医薬品の対象ですが、下痢は食生活、ストレス、飲酒などの**生活習慣が原因**になることが多いため、その原因そのものを改善することが大切なことを伝えましょう。

■ 生活上のアドバイス

- 下痢による**脱水症状には注意が必要**です。特に高齢者や小児では脱水症状を起こしやすく、生命の危険につながることもあります。湯冷ましや麦茶、経口補水液やスポーツドリンクなどによる適切な水分補給の必要性を伝えましょう。栄養補給を考えて牛乳を飲む方がいますが、牛乳は脂肪分が含まれており、腸を刺激する可能性があるため避けるように説明しましょう。
- 症状があるときは、消化がよく、やわらかい食べ物を摂るように伝えましょう。おかゆや野菜スープ、ささみなど、胃腸に負担のかからないものを、少量ずつゆっくり食べることが大切です。果物では、すりおろしたリンゴがおすすめです。柑橘類は胃腸に刺激を与えるため避けるように伝えましょう。

■ 受診勧奨の目安

症状	• 症状が激しい、ぐったりしている、脱水のおそれがある • 慢性下痢 • 小児・高齢者 • 発熱、発疹、嘔吐、激しい腹痛を伴う • 血便、白色や黒色などいつもと便の色が異なる • 3〜4日服用しても症状が改善しない • 海外旅行後の下痢 • 感染性下痢の疑いがある

■ こんな副作用に注意

ロペラミド塩酸塩	漫然と飲み続けていると、便秘が起こることがあるため、症状がおさまり次第すぐに使用を中止する 眠気やめまいが現れるおそれがあるので、薬の服用後は乗り物または機械類の運転操作をしないこと
ロートエキス	口渇、便秘が現れることがある 目のかすみやまぶしさが現れることがあるので、薬を服用した後は乗り物または機械類の運転操作をしないこと
ビスマス類	長期使用により精神神経障害が現れるおそれがあるため、1週間以上継続して使用しないこと

■ 持病がある人への注意

牛乳アレルギー	タンニン酸アルブミンはショックを起こすおそれがあるため、使用を避ける
肝障害	ロペラミド塩酸塩、タンニン酸アルブミンは症状を悪化させるおそれがあるため、使用を避ける
腎障害	沈降炭酸カルシウムは、高カルシウム血症を起こすおそれがあるため、使用を避ける
緑内障、前立腺肥大、心臓病	抗コリン成分（ロートエキス）は症状を悪化させるおそれがあるため、使用を避ける
透析治療中	アルミニウムを含む成分は、アルミニウム脳症、アルミニウム骨症を発症するおそれがあるため使用してはならない

■ 飲み合わせ

タンニン酸アルブミンとロペラミド塩酸塩	タンニン酸アルブミンがロペラミド塩酸塩を吸着し、ロペラミド塩酸塩の効果が弱くなるおそれがあるため、同時に使用しない
タンニン酸アルブミンと鉄剤	タンニン酸アルブミンと鉄が結合してしまうため、両者ともに作用が弱くなるおそれがある
沈降炭酸カルシウムとビタミンD	高カルシウム血症が起こるおそれがある

聴き取りのポイント

どの薬を提案するか考える前に、まずはお客様から十分な聴き取りを行い、一般用医薬品で対応可能な症状かどうかを判断しましょう。

■ 使用者の確認

高齢者	持病のため薬を服用している場合が多いので、飲み合わせに注意が必要 抗コリン成分であるロートエキスは、口渇や排尿困難の副作用が起こりやすいため、注意が必要
妊婦	原則として受診をおすすめする。やむを得ない場合は、整腸剤を短期間のみ使用する
授乳婦	ロートエキスは母乳に移行しやすく、乳児に頻脈を生じるおそれがあるため使用を避ける。止瀉薬よりも、安全性の高い整腸剤を提案する
小児	小児の下痢は疾患に伴うものや、感染性のものが多いため、原則的に受診をすすめる。 ロペラミド塩酸塩、ロートエキス、ビスマス類は安全性が確立されていないため、使用を避ける やむを得ない場合は、小児の適応がある薬を使用する 【例】 整腸薬 ・新ビオフェルミンS細粒（生後3か月～） 収れん成分 ・大正下痢止め（小児用）（生後3か月～）

■ 症状の確認

［整腸薬］

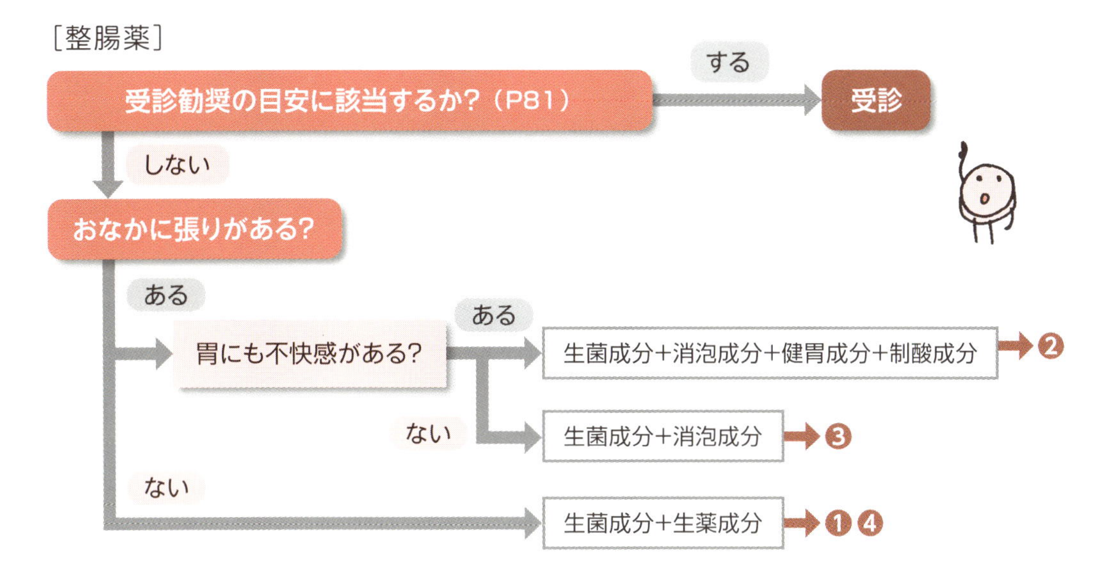

［止瀉薬］

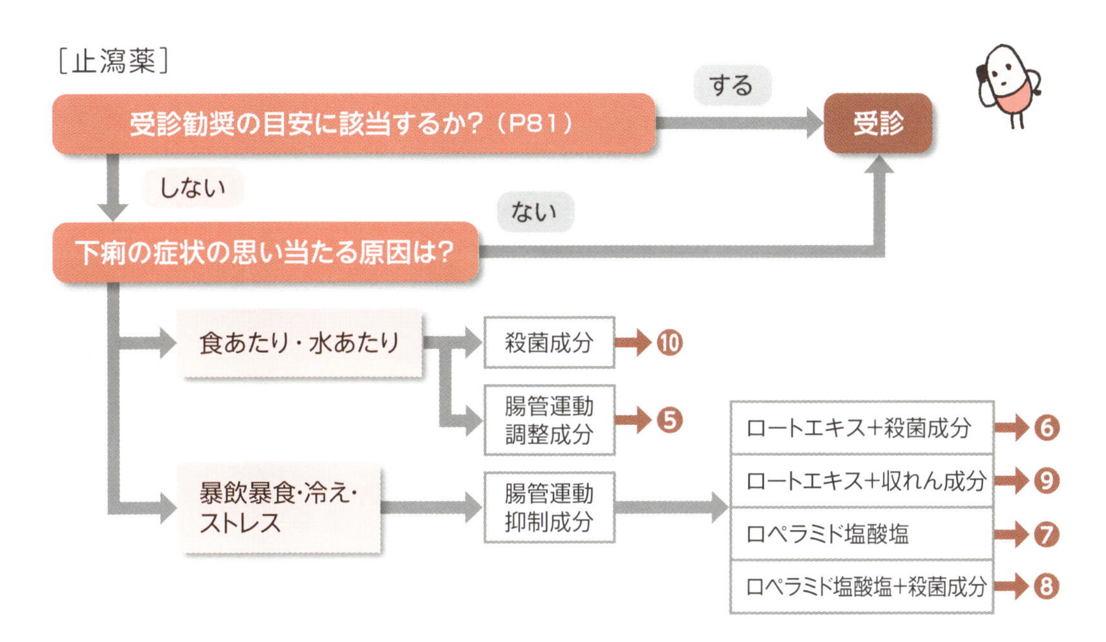

＊このチャート内の❶などの丸つき数字は、次ページの表「主な市販薬と成分」に掲載の医薬品の番号に対応しています。

主な市販薬と成分

分類	成分	❶ 新ビオフェルミンS（医薬部外品）	❷ α^{3+} ザ・ガードコーワ整腸錠	❸ ガスピタンa	❹ 太田胃散整腸薬	❺ セイロガン糖衣A	❻ ストッパ下痢止めEX	❼ トメダインコーワフィルム	❽ ピタリット	❾ ビオフェルミン止瀉薬	❿ 新ワカ末プラスA錠	特に注意したい副作用
生菌成分	乳酸菌	ビフィズス菌、フェーカリス菌、アシドフィルス菌	ビフィズス菌、ラクトミン	ビフィズス菌、フェーカリス菌、アシドフィルス菌	ビフィズス菌、ガセリ菌					フェーカリス菌		
	酪酸菌				●							
	納豆菌		●									
腸管運動抑制成分	ロートエキス						●			●		A
	ロペラミド塩酸塩							●	●			B
殺菌成分	ベルベリン塩化物								●		●	
	タンニン酸ベルベリン						●					
腸管運動調整成分	木クレオソート					●						
収れん成分	タンニン酸アルブミン									●		
消泡成分	ジメチルポリシロキサン		●	●								
生薬成分			センブリ末、ケイヒ末、ウイキョウ末		アカメガシワ、ゲンノショウコ、ゲンチアナ	オウバク、ゲンノショウコ				ゲンノショウコ	サンザシ末	
その他			メチルメチオニンスルホニウムクロリド、制酸成分（沈降炭酸カルシウム、水酸化マグネシウム）、パントテン酸カルシウム	セルラーゼAP3	ビオヂアスターゼ				ビオヂアスターゼ、ビタミンB_1、ビタミンB_2		ビタミンB_1	

特に注意したい副作用

A ロートエキス…口の渇き、便秘、排尿困難、目のかすみ、まぶしさが現れることがある

B ロペラミド塩酸塩…腹痛、悪心、めまい、眠気が現れることがある

下痢のお客様には食事アドバイスを

お客様が下痢の症状を訴えているときには、症状が出ている間に食べていいもの、悪いもののアドバイスをするとよいでしょう。

食べてはいけないのは、胃に負担をかける食物繊維の多いもの、辛いものや冷たいものなどの刺激が強いものです。

積極的に摂りたいのは、水分はもちろんですが、ヨーグルトやぬか漬けなどの乳酸菌を含むもの、整腸作用のあるペクチンを多く含むリンゴ、キウイなどの果物です。乳酸菌を手軽に摂ることのできるサプリも出回っています。

ガムを食べ過ぎると下痢するってホント??

キシリトール配合のガムの注意書きに、「一度に多量に食べると体質によりお腹がゆるくなる場合があります」と書かれているのを知っていますか?虫歯の発生と進行を防ぐといわれるキシリトール。たくさん食べたくなる気持ちもわかりますが、食べすぎは禁物です。

キシリトールは天然素材の甘味料で、糖アルコールとよばれます。糖アルコールは腸で消化・吸収されにくいという特徴があります。それに加え、腸管壁から水分を引き出し、腸内の水分量を増やします。これによりお腹がゆるくなるのです。これには個人差があり、1粒でお腹がゆるくなる方もいれば、何粒食べても大丈夫な方もいます。お客様の下痢の原因がわからない場合、もしかしたらガムの食べすぎかもしれません。

よくある質問

下痢のときに大切なのは水分補給をすること。経口補水液については質問をされることが多いので、正しい知識を持っておきましょう。

Q1 どんな状態を「下痢」というのですか?

A 一般に、便の水分量が80％以上の便を「下痢」とよびます。排便回数は個人差があるため、**「排便回数が多いことのみ」では下痢とは言いません**。

Q2 夏場によく下痢をするのですが、その原因は?

A 夏は冷たいものを口にすることが多い上に、暑さにより胃腸の消化・吸収機能が低下しがちです。どこに行っても冷房が効いていて、外と室内の温度変化による自律神経の乱れも腸に影響を与えます。夏場に下痢をしがちな方はお腹を冷やさないように気をつけてください。夏用の薄手の腹巻きなども販売されているので、上手に活用したいですね。

Q3 経口補水液はスポーツドリンクと何が違うのですか?

A **経口補水液は、脱水状態で不足しがちなナトリウムなどの電解質や、糖質をバランスよく配合**したものです。一般的なスポーツドリンクよりも電解質が多く含まれ、糖質は少なくなっています。
日常における水分補給ならスポーツドリンクで十分ですが、下痢や発熱などで脱水傾向にある方には、水と電解質を素早く吸収できる経口補水液が適しています。ただし経口補水液には、ナトリウム、カリウム、糖質が多く含まれているため、高血圧、腎臓病、糖尿病などで食事指導を受けている方には注意が必要です。

Q4 経口補水液を買いに行けないとき、代わりになるものはありますか？

A **経口補水液は自宅で作ることができます**。水1Lに、塩を小さじ半分と、砂糖を小さじ4杯溶かしたらでき上がりです。一般的に脱水状態にない健康な人にはまずいと感じられると思います。おいしく感じてグビグビ飲むようなら、脱水状態がすすんでいるという目安にもなります。

Q5 ノロウイルスによる下痢では、何か気をつけることはありますか？

A ノロウイルスの感染症は、特に冬（11月～2月）に流行します。**感染力が強い**ため、学校などで集団生活をしている小児で感染が広がりやすいのが特徴です。症状は下痢のほか、悪心、嘔吐、腹痛を伴うことがあります。
感染者の糞便や嘔吐物の処理には、一般的に家庭で使用されることが多いエタノールでの消毒は効きません。消毒には次亜塩素酸ナトリウムが効果的です。

5 便秘薬 ……… *Laxative*

一般的に便がスムーズに出ない、量が少ない、残便感があるなどの状態を便秘といいます。排便習慣には個人差があるため、毎日便通がなくても苦痛を感じなければ便秘とはいいません。

便秘の種類

がんや腸閉塞など疾患が原因となる「器質性便秘」と、ストレスや生活習慣などが原因となる「機能性便秘」に分けられます。また、機能性便秘はさらに、「弛緩（しかん）性便秘」「痙攣（けいれん）性便秘」、「直腸性便秘」の3つに分けられます。

■ 便秘の種類と主な原因

弛緩性便秘

大腸の動きが低下することで起こる。主に運動不足や加齢で腹筋が弱くなり、便を押し出せなくなることが原因。大腸に便が長くとどまることで、便中の水分量が少なくなり、カチカチの硬い大きな便が出ることが特徴。ダイエットによる食事量の減少も原因のひとつとなる。

痙攣性便秘

腸が痙攣し、便の通過を妨げることで起こる。主にストレスなどによる自律神経の乱れが原因となる。便秘と下痢をくり返したり、うさぎのフンのようにコロコロとした便が出ることが特徴。刺激性の便秘薬を使用すると、症状が悪化することがあるため注意が必要。

直腸性便秘

便意が起こったときに排便を我慢することを続けていると、やがて便意が起こりにくくなる。これを直腸性便秘という。痔がある方、寝たきりの方、仕事中にトイレに行きにくい方などに多くみられる。

器質性便秘*

大腸がんや腫瘍、炎症など腸の病変を原因とした、腸閉塞や腸管麻痺（イレウス）によって発生する便秘。

＊器質性便秘は受診の対象

便秘の種類もさまざま。
お客様の事情をきちんと伺い、
提案できるように
しましょう。

便秘薬（瀉下薬）の種類と特徴

便秘薬は瀉下成分が中心となり、整腸成分やビタミン類、生薬成分などが配合されています。便秘の症状から適した薬を見極めましょう。

■ 便秘薬の分類と主な成分

分類	成分	特徴
大腸刺激性瀉下成分		大腸を刺激して腸を動かし、排便を促す。代表的なものに、ビサコジル、ピコスルファートナトリウム水和物、センナ、センノシドがある
	ビサコジル	一般的に作用が強く、服用後に腹痛を感じる方もいる。胃で溶けると胃に刺激を与えるため、腸で溶ける腸溶性製剤に加工されている
	ピコスルファートナトリウム水和物	大腸で腸内細菌によって活性化され、大腸粘膜を刺激する。作用は比較的穏やかで腹痛も起こりにくいので「お腹が痛くなるのはいや」というお客様によい
	センナ、センノシド、ダイオウ	有効成分のセンノシドが大腸の腸内細菌で活性化され、効果を示す。作用は比較的穏やか
	アロエ	腸内の水分量を増やして、排便を促す
小腸刺激性瀉下成分		小腸を刺激して、排便を促す。「腸内容物の急速な排除」を目的としているため、誤飲・誤食による中毒など緊急を要するときにかぎって使用する。妊婦または妊娠していると思われる方、3歳未満の乳幼児では使用は避ける。代表的なものに、ヒマシ油がある
塩類瀉下成分		腸内の浸透圧を高め、水分を増やし、便を軟らかくすることで排便を促す。作用は比較的穏やか。代表的なものに、酸化マグネシウム、硫酸マグネシウム水和物がある
膨潤性瀉下成分		腸内で水分を吸収して膨らみ、腸を刺激し、排便を促す。代表的なものに、プランタゴ・オバタの種皮、カルメロースナトリウムがある
湿潤性瀉下成分		便に水分を浸透しやすくし、軟らかくすることで、排便を促す。作用が弱めで、ほかの成分と組み合わせて配合されていることが多い。代表的なものに、ジオクチルソジウムスルホサクシネート（DSS）がある
緩下成分		代表的なものに、マルツエキスがある。主成分の麦芽糖の発酵作用によりガスを発生させ、腸を刺激する。比較的作用が穏やかなため、乳幼児の便秘にも用いることができる
漢方薬配合		便秘に用いられる代表的なものに、大黄甘草湯がある。大腸刺激性瀉下成分のダイオウと、腹痛などを抑えるカンゾウを組み合わせた処方。体力のあるなしにかかわらず使用できるため、紹介しやすい漢方薬
坐薬		腸内で炭酸ガスを発生させ、腸を刺激する。炭酸水素ナトリウムなどが使われる
浣腸		腸を刺激するとともに、便の水分量を増やすことで、排便を促す。主にグリセリンが用いられ、便意はあるが硬くて出せないときなどに使用する

販売時に気をつけること

全般

- ふだんから元気で明るい接客は大切ですが、便秘の相談を受けた際は少し注意が必要です。「便秘のお薬ですね！」と大きな声で対応すると、ほかのお客様に聞こえる可能性があります。できれば知られたくない情報ですので、**声のボリュームや周りの環境に気を配りながらの接客**を心がけましょう。
- 便秘薬を購入する方は、薬の服用が習慣になっていることが多く、薬がないと排便できないと思いこんでいる方もいます。しかし薬は便秘解消への補助的な位置づけです。まず**大切なのは、便秘をしない身体**になることであり、生活習慣の改善が必要です。食生活の改善、適度な運動など、一度にすべてを変えることはむずかしいと思います。しかし、少しでも改善できると便秘が解消することもあります。お客様にできることから始めてもらうよう提案しましょう。
- 便意を一番感じやすいのは朝食後です。たとえ便意を感じなくても、トイレに行き、決まった時間に排便する習慣をつけるよう伝えましょう。

- 水分不足は便を硬くし、さらに便秘を引き起こします。ほかに持病がない場合、**1日1.5Lほどを目安に水分補給**をするとよいことを知らせましょう。
- 食事では食物繊維を意識して摂ると効果があります。昆布やわかめなどの海藻類、こんにゃく、きのこなど、1日20～25gほどを目安に積極的に食事に取り入れるといいことを説明しましょう。

■ 薬についてのアドバイス

- 初めて使用する人は薬の作用が強く出やすい傾向にあります。まずは作用が穏やかなものを提案しましょう。便秘薬の用法用量は、1回1～3錠のように幅があります。これは薬の作用に個人差が大きいためです。**初めて使用する場合には、最少の用量から試していただく**ようお声がけをしましょう。
- 「いつも使っているから」と指名買いをされるお客様にも、そのまま販売するのではなく、期間や使用量、回数、効果など、**一声かけるように心がけ**ましょう。

ビサコジルのような作用が強い薬を長期間使用していると慣れが生じて、徐々に使用量が増えていくことも考えられるので、注意が必要です。

- 大腸刺激性瀉下成分（膨潤性、湿潤性共に）は、効果を高めるため、多めの水での服用をお伝えしましょう。なお、服用してから排便を促す効果が出るまで8〜12時間かかるため、夕食後や就寝前の服用をすすめます。ただし、夜勤の方など朝の排便が好ましくない場合もあるので、**ライフスタイルに合わせた服用時間**を伝えましょう。

受診勧奨の目安

症状	• 器質性便秘（疾患による） • 血便が出る • 発熱、激しい腹痛、吐き気、体重減少がある • 急に便秘になった • くり返し薬を使用するような慢性的な便秘 • 1週間以上排便がない • 下痢と便秘をくり返す • 手術をしたばかりである

こんな副作用に注意

大腸刺激性瀉下成分（ピコスルファートナトリウム水和物を除く）、センナ、センノシド、ダイオウ、グリセリン浣腸	長期連用によって効果が出にくくなることがある
マグネシウムを含む成分	高マグネシウム血症を起こすおそれがある

持病がある人への注意

腎臓病	マグネシウムを含む成分は高マグネシウム血症を起こすおそれがあるため、使用を避ける
心臓病	ナトリウムを含む成分は症状を悪化させるおそれがあるため、使用を避ける 浣腸は血圧の急激な変化を起こし、症状を悪化させるおそれがあるため、注意が必要
痔による出血	グリセリン浣腸は、傷口からグリセリンが吸収され溶血を起こすおそれがあるため、使用を避ける

■ 飲み合わせ

ビサコジル	制酸成分を配合した薬や H_2ブロッカーとの併用、また牛乳での飲用は避ける。ビサコジルは、胃（酸性）で溶けずに腸（中性）で溶けて効果を発揮する腸溶性製剤である。胃酸が中和されたり、分泌が抑制されると、ビサコジルが胃で溶けてしまうことで、本来の効果が得られないばかりでなく、胃を刺激して胃痛や不快感が起こるおそれがある

こんなところにも便秘の影響が??

「お肌のケアはきちんとしているのに、いつまでも吹き出物が治らない」「いつも肌荒れがひどい」。そんな症状のお客様は、もしかしたら便秘かも…。

通常、身体の不要物は便によって体外に排出されます。便秘になると腸内に有害物質が増加し、悪玉菌や有害物質が増加します。それにより肌のターンオーバーが乱れ、吹き出物や肌荒れが起こりやすくなるのです。お肌のケアに目がいきがちですが、原因は意外なところにあるかも。身体の中のケアにも気を配るよう声をかけましょう。

聴き取りのポイント

便秘薬はまず核となる瀉下成分から薬を選択します。「効き目が強いものが欲しい」「あまり強くなく自然なものがいい」など、お客様のニーズを的確に把握しておきましょう。

■ 使用者の確認

高齢者	腹筋などの筋力が弱まることで便が出しにくくなる。整腸薬、坐薬、浣腸が「○」
妊婦	早産や流産のおそれもあるため、原則として受診をおすすめする。やむを得ず使用する場合は、整腸薬や塩類瀉下成分を案内する
授乳婦	センナ、センノシド、ダイオウは母乳中に移行し、乳児に下痢を生じるおそれがあるため使用を避ける
小児	マルツエキス、整腸薬、浣腸を使用する。症状がくり返したり、長引く場合には受診をおすすめする

■ 症状の確認

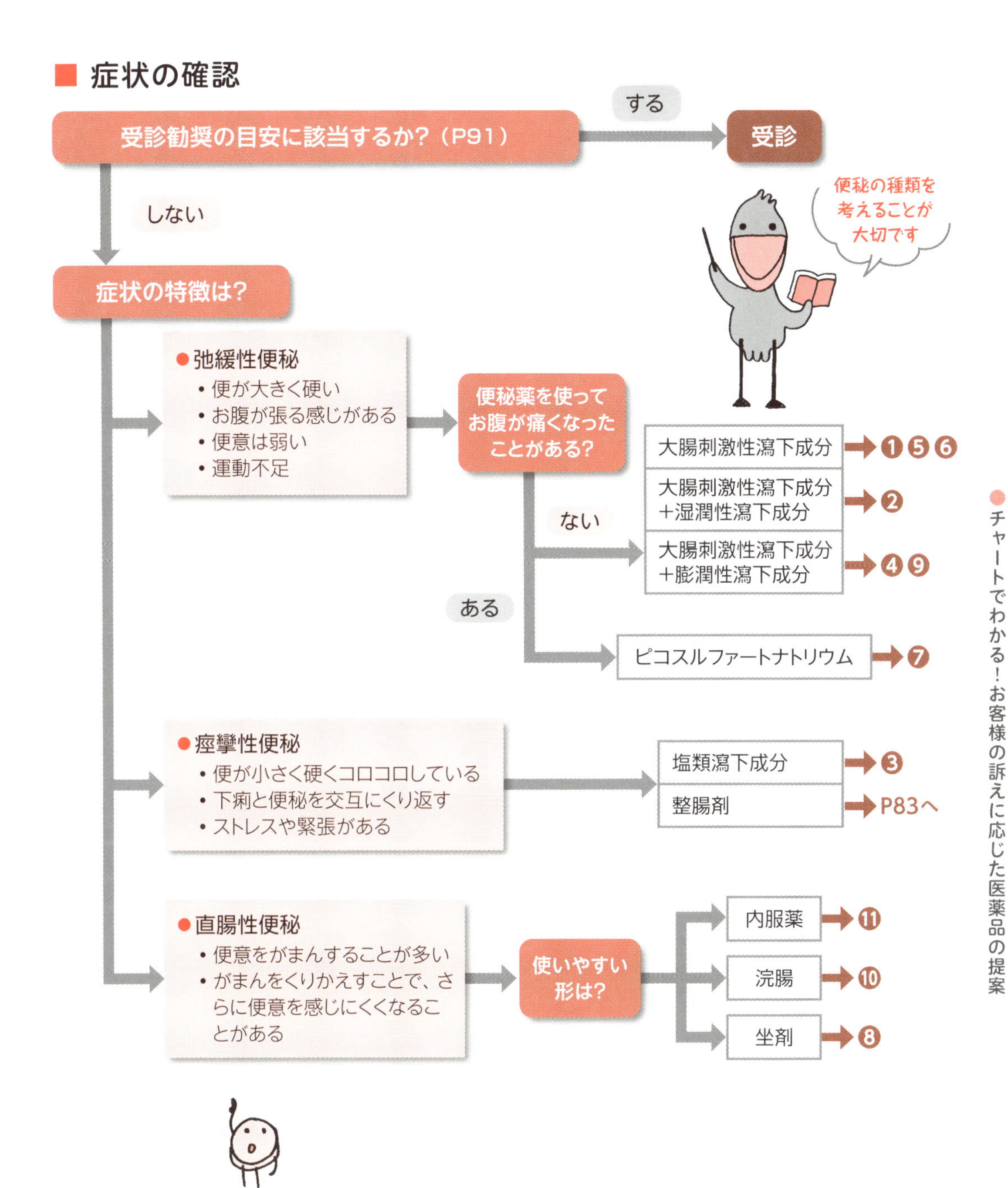

＊このチャート内の❶などの丸つき数字は、次ページの表「主な市販薬と成分」に掲載の医薬品の番号に対応しています。

主な市販薬と成分

分類		成分	❶タケダ漢方便秘薬	❷コーラックⅡ	❸3Aマグネシア	❹新ウィズワンα	❺スルーラックS	❻コーラックハーブ	❼ビオフェルミン便秘薬	❽新レシカルボン坐剤S	❾スルーラックデトファイバー	❿イチジク浣腸	⓫オイルデル	特に注意したい副作用
瀉下成分	大腸刺激性	ビサコジル		●			●							A
瀉下成分	大腸刺激性	ピコスルファートナトリウム水和物							●					
瀉下成分	大腸刺激性	センノシド				●	●	●			●			
瀉下成分	大腸刺激性	アロエ									●			
瀉下成分	塩類	酸化マグネシウム			●									
瀉下成分	膨潤性	プランタゴ・オバタ種皮				●					●			
瀉下成分	湿潤性	ジオクチルソジウムスルホサクシネート		●									●	
漢方薬配合		大黄甘草湯エキス	●											
坐薬		炭酸水素ナトリウム								●				
浣腸		グリセリン										●		
その他						サンキライエキス		甘草エキス末	ビフィズス菌、ラクトミン	無水リン酸二水素ナトリウム	ジュウヤク		麻子仁末	

特に注意したい副作用

A ビサコジル…腹痛が現れることがある

よくある質問

ふだん便秘をしない人から便秘の相談があった場合、まず考えたいのが薬の副作用です。一般用医薬品でも、便秘の副作用が起こるものがあるので覚えておきましょう。

Q1 かぜ薬を飲み始めたら便秘になったのですが?

A **薬の副作用で便秘が起こること**もあります。一般用医薬品で注意したいのは、麻薬性鎮咳成分(コデインリン酸塩、ジヒドロコデインリン酸塩)、抗コリン成分、抗ヒスタミン成分です。麻薬性鎮咳成分は腸のぜん動運動を抑制するため、抗コリン成分は腸の動きを抑制するために便秘が起こるおそれがあります。これらの副作用による便秘は一時的な症状であるため、原因となる薬の使用を中止すればおさまります。便秘の際には、他に服用している薬の有無を確認することも重要です。

Q2 便秘薬は長い間飲み続けてもよいですか?

A 便秘薬を**長期間飲み続けることはおすすめできません**。便秘薬は一時的に便通を助けるものと理解してください。長期にわたって服用し続けると副作用が現れたり、かえって便秘の症状が悪化したりといったリスクがあります。食物繊維や乳酸菌の摂取を心がけたり、まずは生活習慣や体質の改善を図ることが、服用期間の短縮につながります。

Q3 浣腸を使う際、痛くない方法はありますか?

A 浣腸を肛門に入れる際、ノズルに潤滑剤としてワセリンやベビーオイル、オリーブオイルなどを塗ると痛みを軽減できます。また、できるだけリラックスして肛門部分に力を入れないようにするとよいでしょう。

6 湿疹・皮膚炎用薬 …… Products for eczema and dermatitis

日常の小さな肌トラブルには一般用医薬品が使用できます。
ここでは店頭で相談されやすい湿疹、皮膚炎、虫さされなどについての受診勧奨の基準、薬の提案の仕方について解説します。

皮膚のトラブル

湿疹や皮膚炎は、アレルギーによるもの、肌の乾燥、虫さされなどさまざまな原因で起こります。症状が軽い場合は一般用医薬品で対応可能ですが、原因がわからない、症状がひどい場合には受診も大切です。

湿疹・皮膚炎用薬の適応となる主な症状

湿疹

かゆみが出る、皮膚が赤くなる、腫れなどを伴う皮膚の炎症です。薬剤、ストレスなどその原因はさまざま。

かぶれ（刺激性接触性皮膚炎）

特定のものに触れたことにより起こる。洗剤が原因の手湿疹や、尿や便によるおむつかぶれなどがある。

かぶれ（アレルギー性接触皮膚炎）

アレルギーにより起こる皮膚炎。貴金属や化粧品など、接触した部位に境界がはっきりとした炎症が起きる。

虫さされ

原因となる虫は、蚊、ダニ、蜂、ムカデ、ブヨなどさまざま。毒性が強い虫に刺された場合は、受診をすすめる。

あせも

汗腺の出口がふさがり、炎症が起きた状態。汗をかきやすい場所に、赤みを帯びた小さな発疹ができる。

びらん（ただれ）

水疱などが破れて表皮が欠損し、赤みをおびてジクジクした状態。

乾皮症

加齢などで皮脂が減り、皮膚のバリア機能が低下した状態。皮膚の乾燥や、強いかゆみ、炎症が出る。

湿疹・皮膚炎用薬の種類と特徴

痛みやかゆみの有無など、お客様の主な症状から提案する薬をしぼりこみます。見極めを誤ると、症状が悪化することもあるので注意が必要です。

■ 湿疹・皮膚炎用薬の主な成分

抗炎症成分	ステロイド性抗炎症成分	免疫反応を抑え、抗炎症作用を示す。代表的なものに、ベタメタゾン吉草酸エステル、フルオシノロンアセトニド、プレドニゾロン吉草酸エステル酢酸エステル、ヒドロコルチゾン酢酸エステル、デキサメタゾン酢酸エステル、プレドニゾロンがある
	非ステロイド性抗炎症成分	患部で直接炎症を抑える。乳幼児にも使用できる。代表的なものに、ウフェナマート、グリチルレチン酸がある
抗ヒスタミン成分		ヒスタミンの作用を抑えることで、かゆみや腫れを抑える。代表的なものに、ジフェンヒドラミン塩酸塩、クロルフェニラミンマレイン酸塩がある
温感刺激成分		患部に軽い温感刺激を与え、かゆみを感じにくくする作用がある。代表的なものに、クロタミトンがある
局所麻酔成分		患部の感覚を麻痺させることで、痛みやかゆみを抑える。代表的なものに、ジブカイン塩酸塩、リドカインがある
殺菌消毒成分		かきこわしなどによる化膿を防ぐ。代表的なものに、クロルヘキシジングルコン酸塩、ベンゼトニウム塩化物、イソプロピルメチルフェノール、アクリノールがある
抗菌成分		化膿を伴っている患部に有効。代表的なものに、硫酸フラジオマイシン、バシトラシン、コリスチン硫酸塩がある
抗菌成分（サルファ剤）		化膿を伴っている患部に有効。代表的なものにスルファジアジンがある
組織修復成分		傷ついた皮膚の形成を促す。代表的なものにアラントインがある
冷感刺激成分		冷感によって知覚を麻痺させることでかゆみを緩和する。代表的なものに、メントール、カンフルがある
血行促進成分		患部の血行を促す。代表的なものにヘパリン類似物質、ビタミンEがある
保湿成分	尿素	皮膚の水分量を高める。皮膚表面をなめらかにする作用もある
	その他	皮膚を保護するグリセリンやワセリンなどがある

販売時に気をつけること

全般

- 皮膚疾患は**目に見えるため症状が分かりやすい反面、判断がむずかしいことも少なくありません**。さらに、お客様も薬を使用してからの症状の経過をはっきりと確認できるため、薬の選択がクレームにつながることもあります。無理に自分だけで判断するのではなく、薬剤師に相談したり、場合によっては受診を促すことも必要です。薬を販売する際には「使用後に症状が悪化したり、よくならないようでしたらご相談ください」と必ず伝えておきましょう。
- 外用薬を販売する際、「いま飲んでいる薬があるか」という質問をする方は少ないのではないでしょうか。実際、外用薬と内服薬の相互作用はそれほど重大な問題になることはありません。ただし、薬の重大な副作用で皮膚に発疹が現れることも多いため、その可能性は十分考える必要があります。思い当たる原因がない場合は特に、服用中の薬があるかどうかを確認しましょう。

■ 薬について

- 薬の選択はまずその症状から、「**ステロイド性抗炎症成分を使用するか否か**」から考えるようにしましょう。かゆみを抑える成分や保湿成分が必要な場合はその次の段階で検討し、結果として最適な商品を選びます。
- ステロイド性抗炎症成分には薬の強さの目安があります。一般用医薬品として売られている成分（代表例）は以下のように分類されています。

<table>
<tr><th colspan="2">登録販売者が取り扱える成分</th><th colspan="2">登録販売者が取り扱えない成分〔医療用〕（例）</th></tr>
<tr><td>strong</td><td>ベタメタゾン吉草酸エステル
フルオシノロンアセトニド</td><td rowspan="2">strongest</td><td rowspan="2">ジフロラゾン酢酸エステル
クロベタゾールプロピオン酸エステル</td></tr>
<tr><td>medium</td><td>プレドニゾロン吉草酸エステル酢酸エステル</td></tr>
<tr><td>weak</td><td>デキサメタゾン酢酸エステル
ヒドロコルチゾン酢酸エステル
プレドニゾロン</td><td>very strong</td><td>ジフルプレドナート
フルオシノニド
モメタゾンフランカルボン酸エステル</td></tr>
</table>

- ステロイド性抗炎症成分を、感染性の皮膚疾患（化膿している、とびひ、水虫、水痘など）に使用すると、免疫抑制作用により症状が悪化するおそれがあるので使用してはいけません。
- ステロイド性抗炎症成分は「**症状があるときはしっかり使用し、症状がなくなり次第使用をやめる**」**というのが鉄則**です。予防的な長期使用、安易な使用は避けましょう。
- ステロイド性抗炎症成分を顔面など皮膚の薄い部分に使用すると、体内への吸収率が高まり、副作用が出る可能性が高まるため避けましょう。
- 外用薬は薬の成分のみでなく、剤形の選択も薬の効き目を左右する重要なポイントになります。患部の状態や、お客様の好みなどを考えて提案します。

	特徴	適した患部の状態
軟膏	刺激が少ない。患部を保護する。ベタつきやすい	カサカサ ジュクジュク
クリーム剤	伸びがよい。やや刺激がある	カサカサ
液剤	手を汚さず塗れる。症状が広範囲のときも塗りやすい。アルコールを含むものは、刺激がある場合もある	有毛部位、広範囲

生活習慣のアドバイス

- 肌にとって清潔を保つことは大切ですが、入浴時にナイロン製のタオルでゴシゴシ肌をこすると、保湿に重要な皮脂まで洗い落としてしまうことになり、結果として乾燥がひどくなります。身体を洗う際には、低刺激性の石鹸、ボディソープを十分に泡立て、その泡を使って手で洗うとよいでしょう。
- **皮膚トラブルの基本は「保湿」**です。１日のうちで一番乾燥しやすいのは入浴後です。入浴後はすぐにローションや乳液で皮膚を保護しましょう。

■ 受診勧奨の目安

症状	• 激しいかゆみや痛みがある • 症状が慢性化している • 症状が重度で広範囲にわたる • 発熱、倦怠感がある • 思い当たる原因がない	• 5～6日使用しても症状が改善しない • 蜂に刺された場合 • 虫に刺された後に、蕁麻疹（じんましん）や悪心が出ている • 糖尿病

■ こんな副作用に注意

ステロイド性抗炎症成分	皮膚の萎縮や赤み、かぶれなどを起こすことがある。長期・大量の使用は避ける
ウフェナマート	接触性皮膚炎が現れることがある。使用後に発疹、発赤、熱感などが見られた場合は使用を中止し、患部を水で洗い流す
尿素	刺激性があるため、ひび割れや傷のあるところ、粘膜には使用を避ける

■ 持病がある方への注意

アトピー性皮膚炎	アトピー性皮膚炎に使用できる一般用医薬品は販売されていないため受診をすすめる
眼科疾患（緑内障・白内障）	ステロイド性抗炎症成分は眼圧を変化させるおそれがあるため、使用を避ける
糖尿病	ステロイド性抗炎症成分の使用により免疫がさらに低下する。化膿している部位や、感染症を悪化させるおそれがあるため、使用を避ける。糖尿病の方は免疫が低下していることが多く、傷から感染症を起こしやすいので、可能なかぎり受診をすすめる

聴き取りのポイント

皮膚疾患は判断がむずかしく、一般用医薬品での対処は一時的な症状の場合にとどめることが大切です。思い当たる原因がない場合や症状が長引く場合には受診をおすすめしましょう。

■ 使用者の確認

妊婦	ステロイド性抗炎症成分、非ステロイド性抗炎症成分は安全性が確立されていないため、使用を避ける
授乳婦	ステロイド性抗炎症成分、非ステロイド性抗炎症成分は安全性が確立されていないため、使用を避ける
小児	年齢制限のある薬はほとんどない。ただし、使用する際には保護者の監督の下で使用するよう注意を促す ステロイド性抗炎症成分を使用する際は、体内への吸収の可能性を考えて小児はmediumかweakを、幼児ならweakをすすめる。 クロタミトンは密封療法（薬を塗布したところをラップやおむつなどで覆う）により感染症を起こすおそれがある

■ 症状の確認

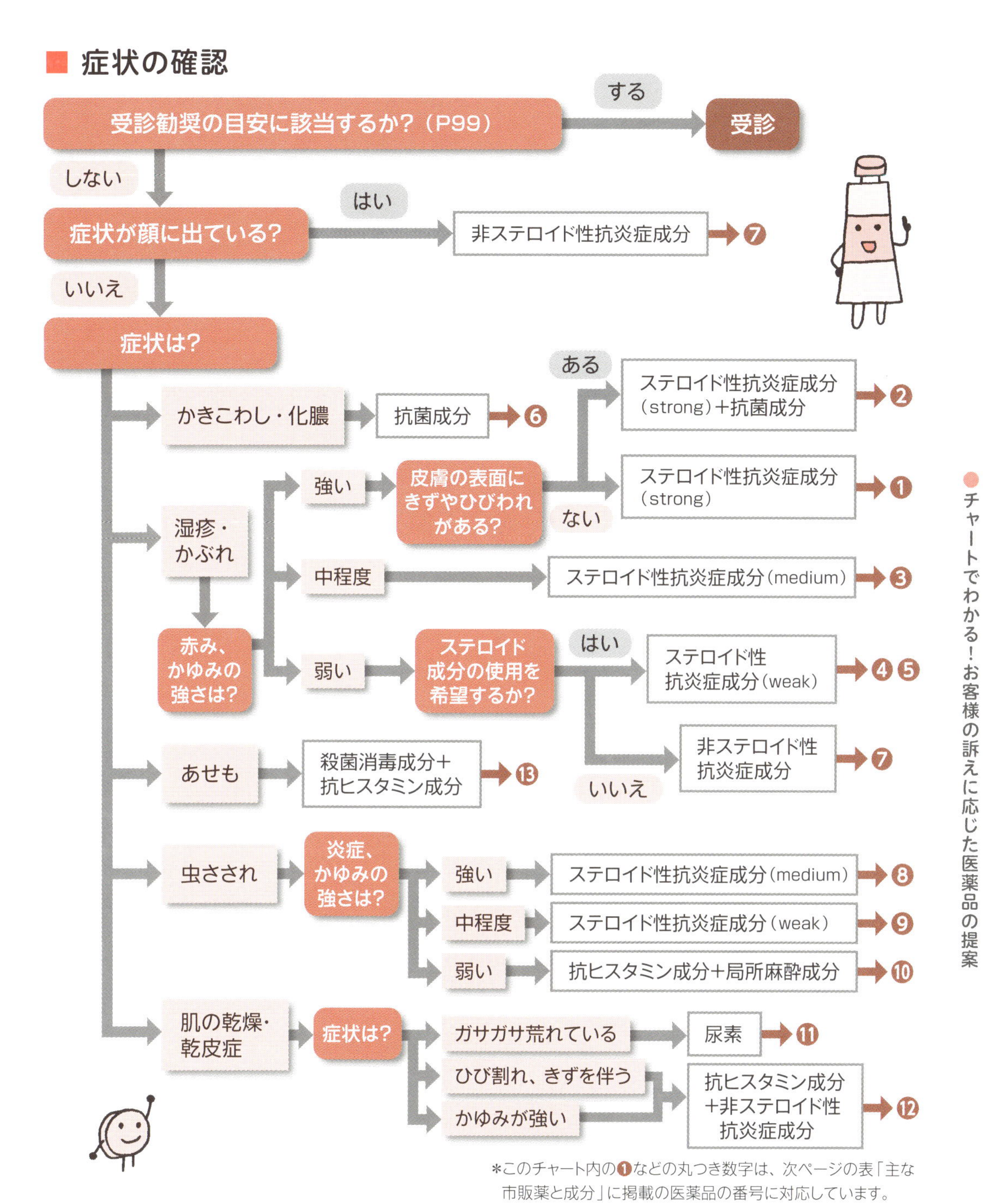

*このチャート内の❶などの丸つき数字は、次ページの表「主な市販薬と成分」に掲載の医薬品の番号に対応しています。

主な市販薬と成分

分類	成分	❶ベトネベートクリームS	❷フルコートf	❸メンソレータムメディクイック軟膏R	❹オイラックスA	❺ドルマイコーチ軟膏	❻ドルマイシン軟膏	❼キュアレアa	❽ムヒアルファEX	❾液体ムヒS2a	❿新ウナコーワクール	⓫ケラチナミンコーワ20%尿素配合クリーム	⓬ムヒソフトGX乳状液	⓭ラナケインクリーム	特に注意したい副作用
ステロイド性抗炎症成分	ベタメタゾン吉草酸エステル	●													A
	フルオシノロンアセトニド		●												B
	プレドニゾロン吉草酸エステル酢酸エステル			●					●						C
	ヒドロコルチゾン酢酸エステル				●	●									D
	デキサメタゾン酢酸エステル									●					E
非ステロイド性抗炎症成分	ウフェナマート							●							F
	グリチルレチン酸				●			●		●			●		
抗ヒスタミン成分	ジフェンヒドラミン塩酸塩				●			●	●	●	●		●	●	
鎮痒成分	クロタミトン			●	●				●						G
局所麻酔成分	リドカイン塩酸塩			●							●			●	H
殺菌消毒成分	イソプロピルメチルフェノール			●	●				●	●				●	
抗菌成分	フラジオマイシン硫酸塩		●			●									
	バシトラシン					●	●								
	コリスチン硫酸塩						●								

患部（塗布する場合は
手指も）をきれいに
してから使用するように
声かけをしましょう

		❶ ベトネベートクリームS	❷ フルコートf	❸ メンソレータムメディクイック軟膏R	❹ オイラックスA	❺ ドルマイコーチ軟膏	❻ ドルマイシン軟膏	❼ キュアレアa	❽ ムヒアルファEX	❾ 液体ムヒS2a	❿ 新ウナコーワクール	⓫ ケラチナミンコーワ20%尿素配合クリーム	⓬ ムヒソフトGX乳状液	⓭ ラナケインクリーム	特に注意すべき副作用
組織修復成分	アラントイン			●	●										
局所刺激成分	l-メントール								●	●	●				
	dl-カンフル								●	●	●				
血行促進成分	ビタミンE（トコフェロール酢酸エステル）												●	●	
保湿成分	尿素											●			
その他													パンテノール		

特に注意したい副作用

A ベタメタゾン吉草酸エステル…皮膚の萎縮、赤み、かぶれが起こることがある
B フルオシノロンアセトニド…皮膚の萎縮、赤み、かぶれが起こることがある
C プレドニゾロン吉草酸エステル酢酸エステル…皮膚の萎縮、赤み、かぶれが起こることがある
D ヒドロコルチゾン酢酸エステル…皮膚の萎縮、赤み、かぶれが起こることがある
E デキサメタゾン酢酸エステル…皮膚の萎縮、赤み、かぶれが起こることがある
F ウフェナマート…皮膚に赤み、発疹、熱感が現れることがある
G クロタミトン…発疹、熱感、ヒリヒリ感が現れることがある
H リドカイン塩酸塩…発疹、熱感、ヒリヒリ感が現れることがある

よくある質問

「ステロイドは怖い」というお客様はたくさんいます。しかし、正しい方法で使用すれば、早く治るというメリットがあります。不安を感じているお客様にはしっかり説明しましょう。

Q1 ステロイド性抗炎症薬を使いたいが、副作用が怖いです。

A いわゆる「ステロイド」は効き目がよい、ということはよく知られるようになりました。しかし、副作用が強いので使わないほうがいいという噂も出回っているようです。たしかに使用方法を間違えると副作用が心配ですが、適切に使用すれば症状を早期に抑えることができる、とても効果的な薬です。それでも心配なようでしたら、**アンテドラッグであるプレドニゾロン吉草酸エステル酢酸エステル配合**の薬はいかがでしょう。アンテドラッグとは、使用部位で作用を発揮した後、体内に吸収されるとすぐに代謝され効果を失う成分です。そのため、体内での副作用が出にくいとされています。

Q2 どのくらいの量を塗ればよいのですか?

A **患部に塗る薬の量を表す単位として、FTU**（フィンガーチップユニット）という単位が用いられるようになりました。1FTUは、人差し指の先端から第一関節まで絞り出した量です。
一般用医薬品で多く販売されている10gチューブでは、1FTUを手のひら1枚分の広さに塗るのが基本となります。25g以上のチューブでは1FTUで手のひら2枚分の広さに塗ります。
塗る際には強く擦りこむと刺激となるおそれがあるので、やさしく塗り広げましょう。使用量は個人差が大きく、使用量が少なすぎると十分な効果が得られないこともあるので、様子をみながら使用してください。

Q3 ステロイド性抗炎症薬は長期で使い続けないでくださいと言われました。その目安は?

A ステロイドを長期間連用すると皮膚の萎縮が起こりやすくなります。さらに広範囲に使用すると、その分体内への吸収量が増え、副作用のおそれが出てきます。そのため「長期・大量の使用」は避けてください。一般用医薬品では症状の程度や、皮膚の状態により異なりますが、**ひとつの目安として「手のひら2〜3枚分の範囲」に「1週間を超えて」使用してはいけない**ということを目安にしてください。

Q4 チューブに入った薬を使用する際に注意することとは?

A 湿疹・皮膚炎用薬には、軟膏やクリームがチューブに入った商品が多く販売されています。薬をチューブから出すとき、指で直接チューブの先を触る方が多いのではないでしょうか。この方法をくり返していると、指についた雑菌がチューブの中に入り汚染してしまうことがあるので避けてください。**薬はいったん手の甲などにとり、そこから指で患部に塗る**ようにすることをおすすめします。

Q5 一度使用した軟膏は、いつまで使用できますか?

A 商品に記載されている使用期限は**「未開封」での使用期限**となります。一度使用したら、その後は保管に気をつけていただく必要があります。保管は室温(1〜30℃)で、直射日光を避けましょう。いつまで安全に薬を使用できるかは、保管の状態によって異なるため明確な基準はありません。ひとつの目安として、きちんと保管されている場合にかぎり、開封後半年を目安に使いきるのがよいでしょう。

7 外用消炎鎮痛薬 Analgesics, antiphlogistics

肩こり、腰痛、筋肉痛など、さまざまな症状で購入されます。抑えたい症状の種類と、その症状が「急性」か「慢性」かの判断が重要です。剤形も多様で、その選択も大きなポイントになります。

筋肉や関節のトラブル

生活の中で起きた軽い痛みは我慢してしまいがちです。しかし、我慢することで新たなトラブルになることも。それを防ぐ適切なアドバイスをすることが大切です。

外用消炎鎮痛薬の適応となる主な症状

肩こり

長時間同じ姿勢を続け筋肉が疲労した状態。血行が悪くなり、肩に痛みや重みを感じる。

腰痛

加齢や生活習慣などが原因といわれているが、その多くは原因が特定できないとされている。

関節痛

最も多い原因は、加齢により関節部分の軟骨がすり減ることで痛みが発生するものとされている。

筋肉痛

運動で筋肉を酷使すると筋繊維が傷つき、それを修復しようとすることで起こる痛み。通常は数日で自然に回復する。

腱鞘炎

長時間にわたる反復した手指の作業により炎症が起こった状態。パソコンを使用する方、ピアノを弾く方などにも多い症状。

テニス肘

手首を反らせるように力を入れると肘に痛みが出る。テニス愛好家に生じやすいためテニス肘とよばれる。

打撲

何かにぶつかったり、転んだりした時に生じる炎症。いわゆる打ち身のこと。腫れや痛みが生じる。

ねんざ

足首や手首、指などを強くひねった時に起こる関節部分の炎症。突き指もねんざの一種。

打撲やねんざのお客様には患部を冷やして、安静を保つように伝えてね

外用消炎鎮痛薬の種類と特徴

肩こり、腰痛、関節痛、筋肉痛、腱鞘炎、テニス肘、打撲、ねんざに伴う炎症や痛みに、直接貼ったり、塗ったりすることにより、その症状を緩和します。

■ 外用消炎鎮痛薬の主な成分

消炎鎮痛成分	外用消炎鎮痛薬のメインとなる成分。第一世代と第二世代に分かれる	
	第一世代	局所刺激作用により血行を促し、炎症を抑え、痛みを緩和する。代表的なものに、サリチル酸グリコール、サリチル酸メチルがある。サリチル酸グリコールは無臭性のため、仕事などで外出される場合にも推奨される
	第二世代	痛みや炎症のもととなるプロスタグランジンの生成を抑制し、炎症を抑え、痛みを緩和する。代表的なものに、非ステロイド性抗炎症成分のジクロフェナクナトリウム、フェルビナク、インドメタシンがある。一般的に、第一世代よりも消炎鎮痛効果が高いとされる
抗炎症成分		比較的穏やかな抗炎症作用がある。代表的なものに、グリチルレチン酸がある
抗ヒスタミン成分		かゆみを緩和する。代表的なものに、クロルフェニラミンマレイン酸塩がある
冷感刺激成分		患部を刺激することで清涼感を与えたり、麻痺させることで痛みを和らげる。代表的なものに、l-メントール、dl-カンフル、ハッカ油がある。主に「急性」の症状に使用する
温感刺激成分		末梢血管を拡張させ、血行を促す。代表的なものに、トウガラシエキス、ノニル酸ワニリルアミド、ノナン酸バニリルアミド、ニコチン酸ベンジルエステルがある。主に「慢性」の症状に使用する
血行促進成分		血行を促すことで筋肉をほぐし、痛みを和らげる。代表的なものに、ビタミンE（トコフェロール酢酸エステル）、ポリエチレンスルホン酸ナトリウム、アルニカチンキがある

販売時に気をつけること

全般

- 「急性症状」とは、一般的に打撲、ねんざのような一時的な症状を指します。腫れや熱を伴う場合が多く、患部を冷やすことが大切です。
「慢性症状」とは、一般的に肩こり･腰痛のように血行不良を伴う症状を指します。そのため、患部を温めることが大切です。
とはいえ、明確な基準があるわけではないので、ひとつの目安として、お客様に**「お風呂に入ると症状が楽になりますか？」**と質問してみましょう。楽になるようなら温感湿布を提案するとよいです。

- 目の周囲や粘膜に外用消炎鎮痛剤を使用すると、刺激を感じたり、薬の吸収が高まり、副作用が起こるおそれがあるため使用を避けるよう伝えましょう。
- 湿疹、かぶれ、傷口に外用消炎鎮痛剤を使用すると、配合成分が刺激になり、症状が悪化するおそれがあるため使用を避けるよう説明しましょう。

■ 剤形について

- 外用消炎鎮痛剤は、**症状が現れている範囲やお客様の状況・好みの使用感によって、適した剤形を提案**することが大切です。
- 貼付薬は、１日１回使用するもの、１日２回～数回使用できるもの、など商品によって用法が異なります。販売の際は外箱などで情報を確認して伝えましょう。
- 塗り薬は、長期・大量使用時の安全性が確立されていないため、連続使用は１週間まで、１週間あたり50mLを超えての使用は避けるように伝えましょう。
- 貼り薬は２週間以上連続しての使用は避けるように案内しましょう。
- エアゾール剤は、冷却効果が高いため、同じ箇所に連続して使用すると凍傷になるおそれがあります。患部から10cmの距離をあけ、連続して３秒以上噴霧しないように、注意を促しましょう。

	使用できるシーン	特徴	
貼付薬	・腰痛など、患部の範囲が広い ・仕事などで、何度も薬を塗ることができない ・長時間の効果を期待したい	パップ剤	○冷却・温熱効果があり広い範囲をカバーできる ×厚みがあるので剥がれやすい
		テープ剤	○薄いため目立たず関節などでも剥がれにくい ×冷却・温熱効果はない。肌が弱い方はかぶれることもある
塗り薬	・貼付薬が使用しにくい場所（手・指先・関節部など） ・貼付薬を使うと目立つ場所 ・肌が弱く、かぶれやすい	クリーム剤	○伸びがよい。ベタつきが少ない ×しっかり擦りこまないと白く残ることがある
		液剤	○手を汚さず、広範囲に使用できる。有毛部に使用しやすい。清涼感がある ×アルコール配合の場合、傷があるとしみる
		ゲル剤	○冷却効果がある。伸びがよい。持続性が高い ×アルコール配合の場合、傷があるとしみる
		エアゾール剤	○冷却効果がある。手を汚さず、広範囲に使用できる。有毛部に使用しやすい ×使用方法を誤ると、凍傷になるおそれがある

■ 生活上のアドバイス

● 長時間同じ姿勢を続けたり、パソコン作業などをしていると、肩こり、腰痛を起こす原因となります。１時間に１回は休憩をとり、簡単なストレッチをするとよいことを伝えましょう。

■ 受診勧奨の目安

症状	• 腫れや痛みが強い • 発熱、頭痛、背中の痛みなど、ほかにも症状がある • 妊婦

■ こんな副作用に注意

ジクロフェナクナトリウム	光線過敏症に注意が必要。光線過敏症とは、薬を使用した部位に日光があたることで起こる炎症。薬を使用している間はもちろん、使用後も4週間は、外出時は天候にかかわらず、使用部位を衣服やサポーターで覆う必要がある
消炎鎮痛成分	接触性皮膚炎を起こす可能性がある。赤み、かゆみ、発疹が現れた場合は使用を中止する

■ 持病がある方への注意

喘息	非ステロイド性抗炎症薬（NSAIDs）の使用はたとえ外用薬であっても、喘息を誘発するおそれがあるので、使用を避ける
消化性潰瘍	非ステロイド性抗炎症薬（NSAIDs）の使用で症状が悪化するおそれがあるため、使用を避ける
医療用医薬品を服用	薬の副作用で筋肉痛（横紋筋融解症）が出ている可能性がある。コレステロールを下げる薬や、抗菌薬を服用されている人は特に注意が必要

Column 湿布を剥がしてすぐに入浴しちゃダメ、ってほんと？

確かに入浴の際には少し注意が必要です。ただし、すべての湿布に当てはまることではなく、「温感」「温湿布」と書かれている温湿布に限るということを覚えておきましょう。

トウガラシエキス、ニコチン酸ベンジルなどの温感刺激成分は、血行を促す作用があり、場合によってはヒリヒリとした刺激を感じる方もいます。この刺激感は入浴など、体を温めることで増強してしまうのです。

温感刺激成分を配合した外用薬は、入浴の1時間前には剥がすようにします。さらに入浴後も、汗がひくまでは使用しないように説明しましょう。冬はコタツにも注意が必要ですね。

聴き取りのポイント

身体の外側に使うからと、安易に販売しないようにしましょう。内服薬よりも注意点が少ないのは確かですが、外用薬も「薬」です。安心して使用してもらうため、十分な聴き取りをしましょう。

■ 使用者の確認

妊婦	内服薬ほどではないが、成分の一部が体内に吸収されるおそれがあるため、非ステロイド性抗炎症成分（NSAIDs）の使用は避ける。原則として受診をすすめる
小児	インドメタシンは11歳未満の使用を避ける（1%インドメタシン配合の場合は15歳未満）。その他の非ステロイド性抗炎症成分（NSAIDs）は、15歳未満は使用できないので、第一世代の成分を提案する

症状の確認

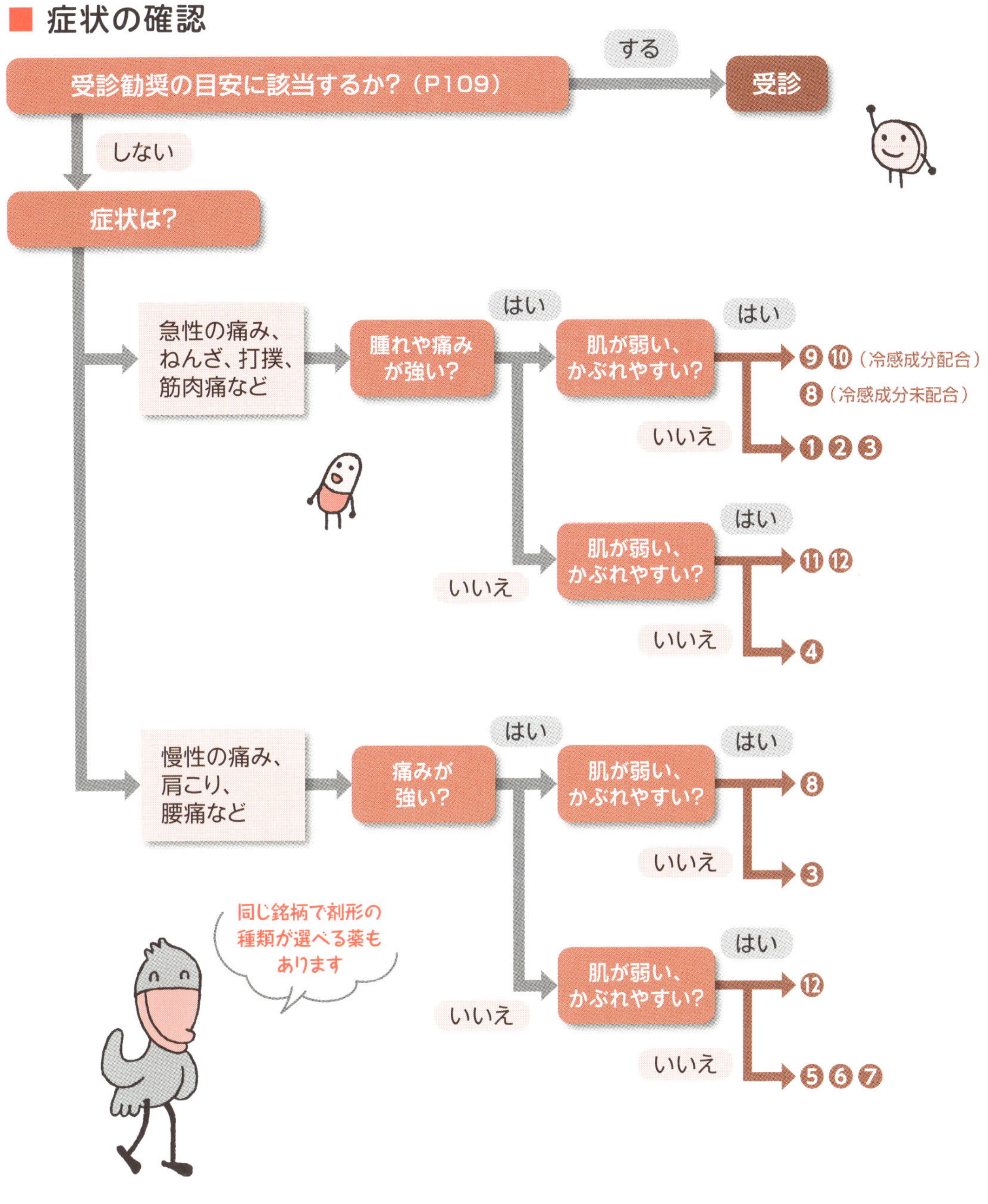

*このチャート内の❶などの丸つき数字は、次ページの表「主な市販薬と成分」に掲載の医薬品の番号に対応しています。

主な市販薬と成分

分類	成分	❶ボルタレンEXテープ	❷フェイタスシップ	❸バンテリンコーワ新ミニパット	❹パテックスうすぴたシップ	❺トクホン	❻サロンパス・ハイ	❼ロイヒつぼ膏	❽ボルタレンACローション	❾ゼノールエクサムSX	❿バンテリンコーワ液EX	⓫エアーサロンパスジェットα	⓬ニューアンメルツヨコヨコA	特に注意したい副作用
消炎鎮痛成分	ジクロフェナクナトリウム	●							●					A
	インドメタシン			●							●			B
	フェルビナク		●							●				C
	サリチル酸メチル					●		●						D
	サリチル酸グリコール				●		●					●	●	E
抗炎症成分	グリチルレチン酸					●						●		
冷感刺激成分	l-メントール				●	●	●	●		●	●	●	●	
	dl-カンフル					●		●						
	ハッカ油							●						
温感刺激成分	ノニル酸ワニリルアミド						●	●						
	ノナン酸バニリルアミド												●	
	ニコチン酸ベンジルエステル												●	
血行促進成分	ビタミンE（トコフェロール酢酸エステル）					●								
	アルニカチンキ				●									
その他								チモール（殺菌消毒成分）					クロルフェニラミンマレイン酸塩（抗ヒスタミン成分）	

特に注意したい副作用

A ジクロフェナクナトリウム…皮膚に発疹、かゆみ、赤みが現れることがある
B インドメタシン…皮膚に発疹、かゆみ、赤みが現れることがある
C フェルビナク…皮膚に発疹、かゆみ、赤みが現れることがある
D サリチル酸メチル…皮膚に発疹、かゆみ、赤みが現れることがある
E サリチル酸グリコール…皮膚に発疹、かゆみ、赤みが現れることがある

よくある質問

炎症や痛みを抑える外用消炎鎮痛薬は多くの商品が販売されています。それぞれの商品の効果や特性をしっかりと把握して、お客様に案内するようにしましょう。

Q1 冷感湿布と温感湿布の違いは何ですか?

A 貼り薬には**冷感タイプと温感タイプ**の商品があります。
冷感湿布は湿布に含まれる水分による冷却効果と、冷感成分の配合による冷却効果が期待できます。打撲やねんざなど、腫れがひどく、患部が熱をもっている「急性の症状」に向いています。
一方、温感湿布は血行促進成分が含まれているため、血行が悪いことで起こる肩こりや腰痛など、「慢性的な症状」におすすめです。

Q2 においがない商品はありますか?

A 第一世代の薬のうち「サリチル酸メチル」には独特のにおいがあります。同じ第一世代でもにおいのない「サリチル酸グリコール」はいかがでしょう。
また、**第二世代の薬は無臭もしくは微香性**なので、学校や職場などでも気軽に使えます。

8 鼻炎用薬 ……… *Nasal inflammation medicine*

鼻の炎症を抑え、くしゃみ、鼻水、鼻づまりを緩和する薬です。
花粉の時期など、季節性の高い分野ですが、鼻炎の原因、症状、
薬の選択などの知識をつけておきましょう。

鼻炎の種類と主な症状

鼻炎は鼻に起きる炎症のことです。「急性鼻炎」「アレルギー性鼻炎」「慢性鼻炎」に分類されます。風邪と花粉症の見極めは、症状が鼻に限られているのか、ほかにも症状が出ているのか、が重要なポイントになります。

■ 主な鼻炎

急性鼻炎

一般的に風邪による鼻炎で、「鼻かぜ」ともよばれる。主な症状は、くしゃみ、鼻水、鼻づまり。鼻水は初期にはサラサラしているが、徐々に粘性を増す。

アレルギー性鼻炎

環境中の物質（花粉やハウスダストなど）に対してアレルギー反応が起こることで生じる鼻炎。症状は急性鼻炎と同様、くしゃみが連続して起こるが、鼻水は時間が経過してもサラサラ、また目にも症状が現れる点がアレルギー性鼻炎の特徴である。
「季節性アレルギー性鼻炎」と「通年性アレルギー性鼻炎」に分類され、季節性アレルギー性鼻炎の原因は主に花粉で、いわゆる「花粉症」とよばれる。通年性アレルギー性鼻炎の原因で多いのはハウスダストで、季節に関係なく起こる。

慢性鼻炎

鼻炎が長期間続いている状態。鼻の炎症が副鼻腔まで広がる（副鼻腔炎）こともある。主な症状は、ドロドロとした鼻水、鼻づまりで、重症化すると膿性の鼻水が出る。症状が軽いもののみ、一般用医薬品が使用可能。

「急性鼻炎」と「アレルギー性鼻炎」を見分けることはとてもむずかしく、実際には困難ですが、以下の表をひとつの目安としてください。

	かぜ（急性鼻炎）	花粉症（アレルギー性鼻炎）
鼻水	サラサラ→ネバネバに変わってくる	透明でサラサラ、ずっと出続ける
くしゃみ	ときどき	連続して出る
咳・のどの痛み・痰	○	△
その他	倦怠感を伴うこともある	目のかゆみ、充血、涙目

鼻炎用内服薬の種類と特徴

鼻炎用内服薬は、配合成分がとてもシンプルで、選びやすいと思います。まずは作用の中心となる抗ヒスタミン成分から考えるとよいでしょう。

■ 鼻炎用薬の主な成分

抗ヒスタミン成分	第一世代と第二世代に分かれる。それぞれの特徴は、薬を選択するうえで外せないポイントになる。商品をパッと見ただけではわからないことが多いため、しっかりと覚えておく	
	第一世代	ヒスタミンの作用を抑え、鼻水、くしゃみを緩和する。即効性があるため、すでに症状が強く出ている場合には効果を実感しやすいが、眠気や口渇の副作用が出やすいというデメリットもある。抗コリン作用も併せ持つため、その副作用にも注意すること 代表的なものに、クロルフェニラミンマレイン酸塩、カルビノキサミンマレイン酸塩がある。クロルフェニラミンマレイン酸塩には、d体とdl体があり、d体のほうがdl体よりも作用は強いとされている
	第二世代	第一世代と同様に、ヒスタミンの作用を抑え、鼻水、くしゃみを緩和する。さらに、症状の原因となるヒスタミンの放出そのものを抑える作用（抗アレルギー作用）も併せ持つため、症状が出始めたら早めに使用するとさらに効果的である。第一世代に比べると即効性に欠けるため、効果を実感するまでに時間がかかることがある 医療用医薬品として使用されている「スイッチOTC医薬品」の成分が多い。代表的なものに、フェキソフェナジン塩酸塩、エピナスチン塩酸塩、ケトチフェンフマル酸塩、メキタジン、セチリジン塩酸塩がある
抗コリン成分		アセチルコリンの働きを抑え、鼻水を抑える。代表的なものに、ベラドンナ総アルカロイド、ダツラエキスがある
アドレナリン作動成分（交感神経系刺激成分）		交換神経を刺激し、鼻粘膜内の血管を収縮させることで、鼻粘膜の腫れや充血を抑え、鼻づまりを緩和する。代表的なものに、プソイドエフェドリン塩酸塩、フェニレフリン塩酸塩がある
抗炎症成分		鼻の炎症を緩和する。代表的なものに、グリチルリチン酸二カリウム、カンゾウ末がある
その他		漢方薬では、鼻水、くしゃみ、鼻づまりに対して小青竜湯が、慢性鼻炎による鼻づまりに対して辛夷清肺湯が用いられる。鼻炎による頭重感の軽減、抗ヒスタミン成分による眠気軽減効果を期待して、カフェインが配合されている

販売時に気をつけること

全般

- お客様にあった鼻炎用内服薬の販売ができるかは、いかに**お客様のニーズを読みとれるか**にかかっています。質問の仕方、内容を含め、コミュニケーションを大切にしましょう。
- 症状が頻繁に現れる場合は受診を促し、原因を明らかにすることをすすめましょう。

■ 生活上のアドバイス

- 通年性アレルギー性鼻炎に対しては、アレルギーの原因物質を減らすために、こまめに部屋の掃除をすることが大切です。掃除の際にはマスクを着用することも伝えましょう。
- 花粉症であれば、花粉を家に持ち込まないことが大切です。外から帰宅したときは、服やカバンなどに付いている花粉を払ってから家に入るようにします。ツルツルした素材の服を着用したり、出かける前に、静電気防止スプレーをしておくと花粉がつきにくくなるようです。また、洗濯物を屋外に干さないことも有効な対策のひとつです。これらのポイントも案内しましょう。

■ 薬についてのアドバイス

- 花粉症では値段は高くてもいいから効果の高いものが欲しいという方が多い傾向にあります。「第一世代の抗ヒスタミン成分を配合した薬」と「第二世代の抗ヒスタミン成分を配合した薬」では値段が明らかに違うので、**効果の違いをきちんと説明できるようにしておきましょう**。
- 花粉症で毎年薬を使用している方は、「毎年使っているから」「変える必要もないから」「ほかの薬を考えるのが面倒」などの理由で商品を指定して購入する、いわゆる指名買いの方が多い傾向があります。その際にはそのまま販売するのではなく、商品を用意しながら「効果はどうだったか」「副作用は気になったか」

などの**質問をするようにしましょう**。特に不満がないようならそのままその薬を販売し、何か気になる点があればお客様により適していると思われる商品を紹介します。

受診勧奨の目安

症状	• 症状が頻繁に起こる、長期間続いている • 黄色、緑色など、色のついた鼻水が出る • ドロドロの鼻水が出る • 鼻づまりがひどく、においを感じにくい、呼吸が苦しい、熟睡できない • 発熱、頭痛、咳、倦怠感、吐き気など他の症状がある • 妊婦 • 2歳未満の乳幼児

こんな副作用に注意

抗ヒスタミン成分	眠気が現れることがあるため、服用後は乗り物や機械類の運転操作を避ける必要がある
抗コリン成分	口渇、便秘が現れることがある。また、散瞳により目のかすみやまぶしさが現れることがあるため、服用後の自動車の運転や機械類の操作を避ける必要がある
プソイドエフェドリン塩酸塩	不眠や神経興奮作用が現れることがある

持病がある方への注意

緑内障、排尿困難	抗ヒスタミン成分、抗コリン成分の使用により、症状が悪化するおそれがあるため使用を避ける プソイドエフェドリン塩酸塩の使用により、症状が悪化するおそれがあるため使用を避ける
心臓病、高血圧、糖尿病、甲状腺機能障害	プソイドエフェドリン塩酸塩の使用により、症状が悪化するおそれがあるため使用を避ける プソイドエフェドリン塩酸塩以外のアドレナリン作動成分では、使用に注意が必要

飲み合わせ

鼻炎用内服薬と総合感冒薬、鎮咳薬	かぜ薬、鎮咳薬の多くに抗ヒスタミン成分が配合されているため、効果が出すぎる、または副作用が出るおそれがあるため、併用は避ける
フェキソフェナジン塩酸塩と制酸成分（水酸化アルミニウム、水酸化マグネシウム）	制酸成分がフェキソフェナジン塩酸塩を吸着するため、フェキソフェナジンの作用が弱くなるおそれがあるため、併用は避ける
フェキソフェナジン塩酸塩と抗生物質（エリスロマイシン）	フェキソフェナジン塩酸塩の代謝が阻害され、効果が高くなり、副作用が出やすくなるおそれがあるため、併用は避ける
抗ヒスタミン成分とアルコール	抗ヒスタミン成分の眠気を増強させるおそれがあるため、服用中はアルコールの摂取を避ける

聴き取りのポイント

鼻炎用内服薬は「効き目」と「副作用」のバランスがポイントです。「効果は弱くても眠くならないもの」「眠くなってもよいから鼻水をとめたい」などお客様のニーズをしっかりと把握しましょう。

使用者の確認

高齢者	持病などで複数の薬を同時に服用していることもあるため、飲み合わせの聴き取りでしっかり確認する
妊婦	原則として受診をすすめる
授乳婦	プソイドエフェドリン塩酸塩、メチルエフェドリン塩酸塩、第二世代抗ヒスタミン成分、カフェインは母乳中に移行するおそれがあるため、使用を避ける
小児	小児の適応がある薬を選択する 2歳未満は原則として受診をすすめる

■ 症状の確認

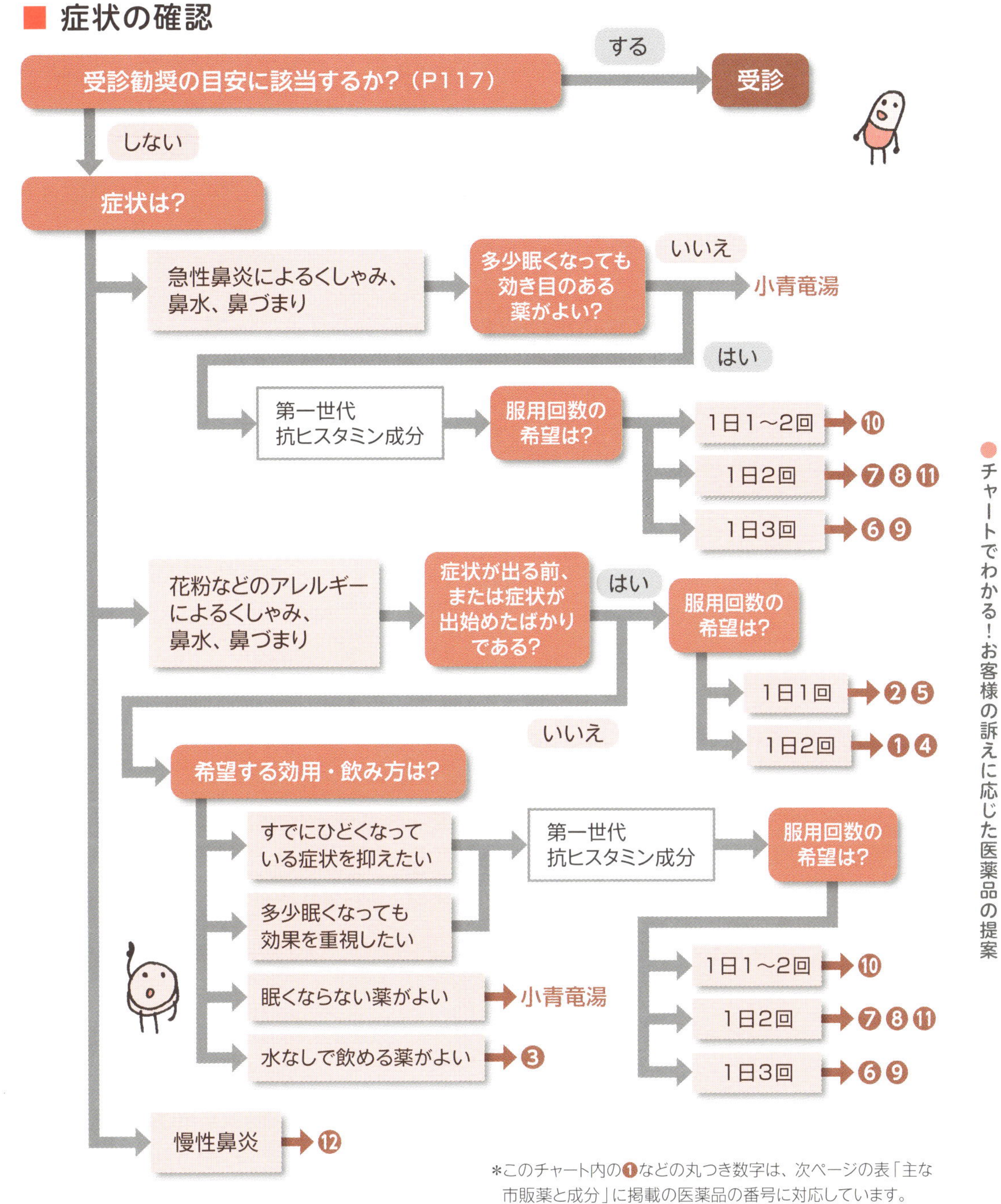

＊このチャート内の❶などの丸つき数字は、次ページの表「主な市販薬と成分」に掲載の医薬品の番号に対応しています。

主な市販薬と成分

分類	成分	①アレグラFX	②アレジオン20	③アルガードクイックチュアブル	④ザジテンAL鼻炎カプセル	⑤ストナリニZジェル	⑥エスタック鼻炎ソフトニスキャップ	⑦エスタック鼻炎カプセル12	⑧新コンタック600プラス	⑨アネトンアルメディ鼻炎錠	⑩ストナリニS	⑪パブロン鼻炎カプセルSα	⑫チクナイン	特に注意したい副作用
第一世代抗ヒスタミン成分	カルビノキサミンマレイン酸塩											●		A
	クロルフェニラミンマレイン酸塩						●	●	●	●	●			B
抗ヒスタミン成分 第二世代	ケトチフェンフマル酸塩				●									C
	メキタジン			●										D
	フェキソフェナジン塩酸塩	●												E
	セチリジン塩酸塩					●								F
	エピナスチン塩酸塩		●											G
アドレナリン作動成分	フェニレフリン塩酸塩			●			●				●			
	プソイドエフェドリン塩酸塩							●	●	●		●		
抗コリン成分	ベラドンナ総アルカロイド			●			●	●	●			●		
抗炎症成分	グリチルリチン酸二カリウム、カンゾウ末									●				H
生薬成分								サイシン		サイシンエキス、シンイエキス、ショウキョウ末	ダツラエキス		辛夷清肺湯エキス	
その他	無水カフェイン			●				●	●	●		●		

特に注意したい副作用

A カルビノキサミンマレイン酸塩…眠気が現れることがある

B クロルフェニラミンマレイン酸塩…眠気が現れることがある

C ケトチフェンフマル酸塩…眠気が現れることがある

D メキタジン…眠気が現れることがある

E フェキソフェナジン塩酸塩…眠気が現れることがある

F セチリジン塩酸塩…眠気が現れることがある

G エピナスチン塩酸塩…眠気が現れることがある

H グリチルリチン酸二カリウム、カンゾウ末…むくみ、血圧上昇が現れることがある

Column 落とし穴?? 意外に大切なマスクのつけ方

花粉症でのマスクの着用は、効果的なセルフケアです。花粉を吸い込む量を100%カットできるわけではありませんが、確実に減らすことができます。

しかし、この大切なマスクの付け方が間違っている人がいます。マスクで大切なのは、「上下の向き」と「表裏の向き」です。正確につけるためのポイントは2つ。

1. ノーズフィット
   ノーズフィットがマスクの上側の目印です。これはわかりやすいですよね。
2. プリーツ
   ノーズフィットを上にできたら、さらにプリーツの向きに注目。プリーツが下向きになるほうを、マスクの外側（表側）にくるように装着します。逆につけている方が多いのですが、逆になるとプリーツの部分に花粉が溜まってしまい、吸い込んでしまう原因となります。

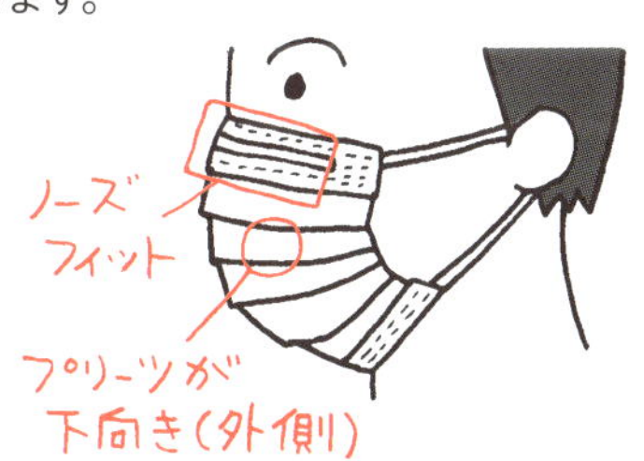

お客様にはこの2点について、ぜひアドバイスをしましょう。

よくある質問

鼻炎用内服薬は多くが花粉症の症状で購入されますが、眠気という副作用を気にする方が多いです。中には誤った知識をもとに購入する方もいるので、正しい知識を提供できるようにしておきましょう。

Q1 秋にも花粉症があると聞いたのですが?

A 春になると花粉症に悩まれる方が多く、街にはマスクをした方があふれ、テレビでは花粉症の薬のCMが流れますね。そんなことから、「花粉症といえば春」と思う方が多いのではないでしょうか。
しかし実際にはアレルギー性鼻炎の原因となる**花粉は、一年中飛んでいる**のです。春にはスギやヒノキ、初夏にはイネ科植物、初秋にはブタクサなどのキク科植物などが代表的です。アレルギー体質の方は一年中花粉に悩まされている方も少なくないのです。

Q2 初めて鼻炎用内服薬を飲むのですが、おすすめはありますか?

A 薬は症状から選ぶことが基本ですが、その「用法」にも注目して選んでください。
鼻炎用内服薬は1日1回服用すればよいもの、1日3回服用するものなど、用法に幅があるのが特徴のひとつです。1日1回飲めばいい薬は面倒が少ないので、提案することもあります。しかし、特に**初めて服用する薬ではどの程度の副作用が出るか分からない**ので、注意が必要です。もしも眠気が強く出た場合、その効果だけでなく、眠気も1日中続いてしまう可能性があるということです。
初めて服用されるのでしたら、様子をみながら服用できる1日3回のタイプからはじめてみてはいかがでしょうか。

Q3 眠気が出ない薬が欲しいのですが。

A 眠気の副作用が出やすいかどうかは、個人差があります。そのため、「絶対に眠くならない」と言える薬はありません。ただし、一般的に眠くなりにくいと言われる成分はあります。代表的なものとして、フェキソフェナジン塩酸塩があります。鼻炎用内服薬に配合される抗ヒスタミン成分には珍しく、「服用後は乗り物や機械類の運転操作をしてはいけない」という記載がありません。しかし、仕事で運転をするなど、絶対に眠気が出てはいけない方には、漢方薬の「小青竜湯」がよいと思います。

Q4 カフェインが配合されている薬は眠くならないですよね？

A 鼻炎による頭重感の軽減、抗ヒスタミン成分による眠気軽減効果を期待して、カフェインが配合されている薬があります。確かに、カフェインは眠気を軽減させる効果はありますが、一緒に配合されている**抗ヒスタミン成分などからくる眠気を、完全になくすことはできません**。

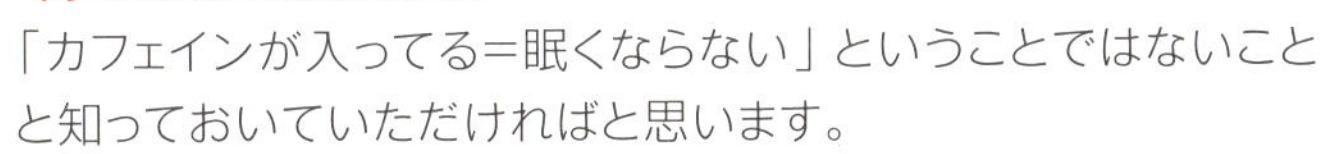

「カフェインが入ってる＝眠くならない」ということではないことと知っておいていただければと思います。

9 点眼薬 ……… *Eye drops*

近ごろ、パソコンや携帯を使用する機会が多くなり、目のトラブルを訴える方も急増しています。どの商品も似ているように見えるため、お客様から相談を受ける機会も多い分野です。

目のトラブル

一般用医薬品の点眼薬では、疲れ目やかすみ目、目の乾きなどの軽度な目のトラブルに対応できます。ひとつの症状だけが現れることは少なく、いくつかの症状が同時に現れることも多いため、お客様にくわしくお聞きしましょう。

主な目のトラブル

疲れ目

目のピントを調節する毛様体筋の疲労により起こる。主な原因はパソコン作業などによる目の酷使によるもの。

かすみ目

長時間のパソコン作業などで毛様体筋が緊張し続けることにより、ピントを合わせる機能が低下した状態。

目の乾き（ドライアイ）

空気の乾燥や、パソコン作業でまばたきが減り、涙の分泌が減少した状態。疲れ目の原因となる場合も多い。

目の充血

コンタクトレンズやプールの塩素などの外部刺激による目の炎症や疲れにより、結膜の血管が拡張した状態。

目のかゆみ

花粉などの刺激によりヒスタミンが放出され、起こる症状。結膜炎によっても引き起こされることがある。

結膜炎

アレルギー性と細菌性がある。刺激や感染により、結膜に炎症を起こした状態。充血、不快感が現れる。

ものもらい

目のふちに雑菌が感染し、炎症を起こした状態。痛み、かゆみを伴い、まぶたが赤く腫れる。

いろいろな症状が同時に出ることもあります

点眼薬の種類と特徴

一般用医薬品として販売される点眼薬では、疲れ目やかすみ目、ドライアイなどの軽度な目のトラブルに対応が可能です。

点眼薬の分類

人工涙液	目の乾きや疲れ、コンタクトレンズ装着時の不快感などを緩和する
一般用点眼薬	目のかゆみや疲れ、充血などを緩和する
アレルギー用点眼薬	花粉、ハウスダストなどによる目のアレルギー症状を緩和する
抗菌性点眼薬	ものもらいや結膜炎の症状を緩和する

点眼薬の主な成分

充血除去成分	目の血管を収縮し充血をとる。アドレナリン作動成分が使用される。代表的なものに、テトラヒドロゾリン塩酸塩がある
ピント調節成分	毛様体筋に作用し、目のピント調節機能を改善する。ネオスチグミンメチル硫酸塩が使用される
アミノ酸類	目の疲労回復や新陳代謝を促進のためにL-アスパラギン酸塩やタウリンが、角膜の乾燥防止のためにコンドロイチン硫酸ナトリウムが使用される
消炎・収れん・組織修復成分	皮膜を形成し目を保護するために硫酸亜鉛水和物が、炎症を抑えるためにイプシロン-アミノカプロン酸、アラントイン、ベルベリン塩化物水和物、アズレンスルホン酸ナトリウム、グリチルリチン酸二カリウム、プラノプロフェンなどが使用される
ビタミン成分	目の調節機能や細胞の再生、新陳代謝の促進、血行促進などの目的でビタミン類が配合される。代表的なものに、ビタミンB_6、ビタミンB_{12}、ビタミンA、パンテノール、酢酸d-α-トコフェロール（ビタミンE）がある
抗アレルギー成分	ヒスタミンの分泌を抑え、アレルギー症状（かゆみ、充血など）を緩和する。代表的なものに、クロモグリク酸ナトリウムがある
抗ヒスタミン成分	ヒスタミンの作用を阻害することにより、目のかゆみを緩和する。代表的なものにクロルフェニラミンマレイン酸塩がある
サルファ剤	細菌の増殖を抑制するため、スルファメトキサゾールがものもらいや結膜炎に使用される
増粘剤	粘り気を与え、目の乾きを抑える。代表的なものに、ブドウ糖、ヒプロメロースがある
無機塩類	涙の成分（電解質）の補給を目的に配合される。代表的なものに、塩化カリウム、炭酸水素ナトリウム、塩化ナトリウムがある

販売時に気をつけること

全般

■ 点眼薬について

- 点眼薬は使用する際に、容器が目やまつ毛に触れることで中身が汚染される可能性があります。場合によっては、感染症などを拡大してしまうおそれもあるため、**他人と共有しない**よう注意を促しましょう。
- 目薬は開封したら、**3か月を目安に使い切る**ようにします。いつ開封したかを容器にマジックで記載しておくと役立ちます。ただし、中の溶液が白濁していたり、異物が混入していたりする場合は汚染が考えられるので、3か月未満であっても使用してはいけないことも伝えましょう。
- 複数の点眼液を使用する場合は、5分以上間隔をあけてから使用することを説明しましょう。

- 「前に使った黄色の目薬がまた欲しい」など、薬液の色で商品を覚えている方がいます。点眼薬の色は着色しているわけではなく、配合成分自体の色です。色から、ある程度商品の見当がつけられることがあるので、覚えておくとよいでしょう。

ビタミンB_{12}（シアノコバラミン）	ビタミンB_2（フラビンアデニンジヌクレオチド）	アズレンスルホン酸ナトリウム
赤・ピンク色	黄色	青紫色

- 目薬の容器の代表的なものに、「ツイスト型」と「スクリュー型」があります。昔から使用されてきた「スクリュー型」は馴染みがある方も多いようですが、高齢者で指先の細かい動作がしにくい状況にある場合、キャップが開けにくいということもあります。**「ツイスト型」は比較的弱い力でも開**

スクリュー型キャップ

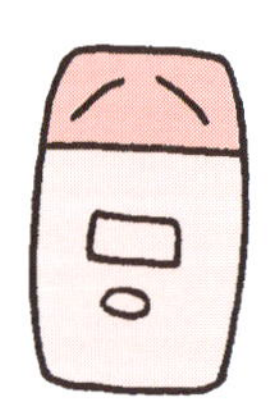

ツイスト型キャップ

けることができるため、使用者の状況に応じて、容器の形を提案する場合もあります。
外から見ただけでは容器の形状がわからない商品もあるため、製薬会社のウェブサイトで確認しておくと役立ちます。

- 点眼薬は「使用感」を大切にするお客様が多くいます。「スーっとした目薬がほしい」「しみないものがよい」など、お客様のニーズは必ずお聞きしましょう。
- 就寝中は涙の分泌が減少します。そのため、寝る直前に点眼薬を使用すると、成分が目に停滞し、刺激になるおそれがあります。少なくとも就寝の5分前までには点眼することをおすすめします。

症状について

- 老眼の症状は早い方であれば30代後半から現れ、40歳を超えると自覚される方が急激に増えます。「だれにでも起こる症状」と割り切り、早めに一度受診をして、眼鏡などで調整することで、目の疲れが楽になることもあります。
- **40代以降の方では、目の疾患が急激に増えてきます**。頻繁に目の不調が出る場合、最近目の検査を受けていたかを確認し、受診をしていないようならば、受診するようにアドバイスしましょう。

疲れ目	• パソコン作業をする際には、1時間に10分休憩を入れるなど、目を休める時間を作る • 原因のひとつに、眼鏡やコンタクトレンズの度数が合っていない可能性も考えられる。眼鏡やコンタクトレンズを使用しているお客様には、「最近いつ度数を調整したか」も確認してみる • 肩や首のこりがある場合は、湿布などの外用消炎鎮痛薬を合わせて紹介する。また、身体の内側からのケアとして、ビタミン剤の内服も有効
ドライアイ	• 涙は瞬きが刺激となり分泌される。パソコンなどのディスプレイを見つめる作業中は瞬きの回数が約半分に減り、ドライアイの原因となる • ドライアイでは涙の分泌だけではなく、目の表面を覆う油分の分泌も減少していることがある。それを改善するために目を温めたり、マッサージすることも効果がある • 点眼回数が多いと、防腐剤によりアレルギー反応や角膜障害を起こすおそれがある。頻繁に点眼するようであれば、防腐剤を含まない(防腐剤フリー)商品を案内する
ものもらい	• 人から人へうつる可能性は低いといわれるが、他人とのタオルや目薬の共有は避けるようアドバイスする

●ドライアイか、そうではないかを簡単に見分けるために、次のチェック表を利用してもよいでしょう。これら項目すべてに当てはまる場合はドライアイの可能性が高くなります。ただし登録販売者は診断はできないので、あくまでも参考程度に利用してください。

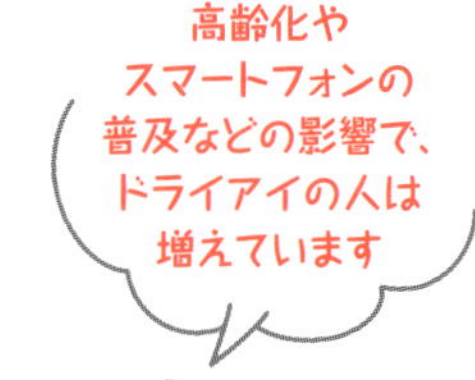

■ ドライアイの簡単な見分け方

(1)	次の症状のうち、5つ以上が当てはまる ・目が疲れやすい ・目やにが出る ・目がゴロゴロする ・目が重たい感じがする ・何となく目に不快感がある ・目が痛い ・涙が出る ・ものがかすんで見える ・目がかゆい ・光を見るとまぶしい ・目が赤い
(2)	10秒以上目を開け続けることができない
(3)	瞬きの回数が40回／分以上

＊ロート製薬ホームページより　https://jp.rohto.com/learn-more/eyecare/article03-02/

■ 受診勧奨の目安

症状	・休んでも目や身体の疲れがとれない ・激しい目の痛みを伴う ・目に物が当たるなど、外から衝撃を受けた ・二重に見える、視野が狭くなった、視力の低下がある ・点眼薬を2週間ほど使用しても症状が回復しない ・糖尿病 ・緑内障、白内障の可能性がある	
	目の充血	・発熱、のどの痛み、関節の痛みなど、ほかに症状がある ・点眼薬を5～6日使用しても症状が回復しない
	結膜炎	・のどの痛みなど、ほかの症状を伴う（ウイルス性結膜炎の可能性がある） ・点眼薬を5～6日使用しても症状が回復しない
	ものもらい	・化膿がひどく、痛みが強い ・点眼薬を3～4日使用しても症状が回復しない

■ こんな副作用に注意

アドレナリン作動成分	長期連用すると、かえって目の充血がひどくなるおそれがあるため、連続使用は5～6日にとどめておく
抗ヒスタミン成分	眼圧を上昇させるおそれがあるため、緑内障の人は使用を避ける

■ 持病がある方への注意

緑内障	一般用医薬品では緑内障の症状を改善する薬はない。それどころか、配合成分によっては症状を悪化させるおそれがあるため、受診勧奨
糖尿病	糖尿病の合併症に、網膜の血管がダメージを受ける「網膜症」がある。自覚症状がほとんどないのが特徴で、糖尿病の方には定期的な目の検査を勧奨する
抗コリン成分、抗ヒスタミン成分を服用中	眼圧の上昇や、散瞳によるまぶしさなどの副作用から目のトラブルが出ている可能性もあるので、聴き取りに注意しながら接客を行う
鶏卵によるアレルギー	ショックを起こすおそれがあるため、リゾチーム塩酸塩の使用を避ける

聴き取りのポイント

点眼薬はお客様が気軽にセルフで購入されることも多いですが、いつでも薬の専門家として接客できるように、幅広い知識をつけておきましょう。

■ 使用者の確認

高齢者	緑内障や白内障など目の疾患が起こりやすいため、点眼薬を安易に使用せず、症状が改善しない場合は受診をすすめる
妊婦、授乳婦	プラノプロフェンは、妊娠中の安全性が確立していないため使用を避ける。妊婦は、かかりつけ医に相談した上で使用することが望ましい
小児	7歳未満の小児には、プラノプロフェンは安全性が確立していないため、使用を避ける。一般用目薬の中には、清涼感の強いものも存在するため、小児用の目薬を使用したほうがよい

■ 症状の確認

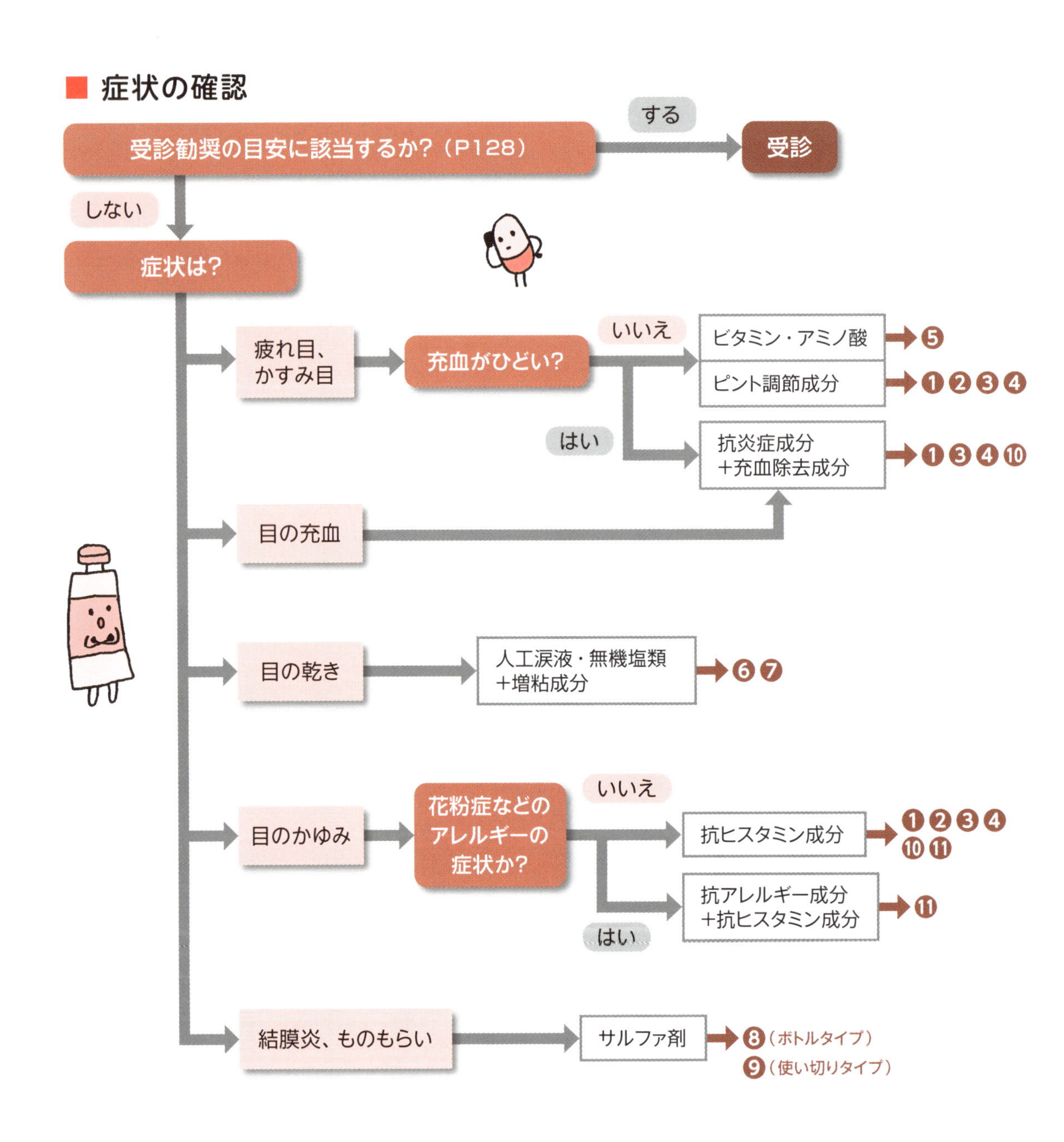

＊このチャート内の❶などの丸つき数字は、次ページの表「主な市販薬と成分」に掲載の医薬品の番号に対応しています。

主な市販薬と成分

分類	成分	①サンテメディカル12	②ロートVアクティブ	③サンテPC	④サンテFXネオ	⑤ロート養潤水α	⑥NewマイティアCL	⑦ロートリセコンタクトw	⑧ロート抗菌目薬EX	⑨抗菌アイリス使いきり	⑩ロートアルガード	⑪エージーアイズアレルカットM	特に注意したい副作用
充血除去成分	テトラヒドロゾリン塩酸塩	●		●	●						●		
ピント調節成分	ネオスチグミンメチル硫酸塩	●	●	●	●								
アミノ酸類	L-アスパラギン酸塩	●			●	●							
	タウリン（アミノエチルスルホン酸）	●	●	●	●	●							
	コンドロイチン硫酸ナトリウム	●	●	●		●		●				●	
消炎・収れん成分	イプシロン-アミノカプロン酸	●			●					●			
	グリチルリチン酸二カリウム	●	●	●					●	●	●	●	
	硫酸亜鉛	●											
ビタミン成分	シアノコバラミン（ビタミンB_{12}）	●		●									
	ピリドキシン塩酸塩（ビタミンB_6）	●	●	●						●	●		
	パンテノール	●	●										
	トコフェロール酢酸エステル（ビタミンE）					●			●				
	レチノールパルミチン酸エステル（ビタミンA）												
抗ヒスタミン成分	クロルフェニラミンマレイン酸塩	●	●	●	●				●		●	●	A
抗アレルギー成分	クロモグリク酸ナトリウム											●	B
サルファ剤	スルファメトキサゾール								●	●			
増粘剤	ブドウ糖						●	●					
	ヒプロメロース							●					
無機塩類	塩化カリウム						●	●					
	塩化ナトリウム						●	●					
	炭酸水素ナトリウム							●					

特に注意したい副作用

A クロルフェニラミンマレイン酸塩…眠気が現れることがある

B クロモグリク酸ナトリウム…眠気が現れることがある

よくある質問

知っているようで意外と知られていないのが、点眼薬の正しい使い方です。どんなにいい商品を使っても、使用方法が間違っていると十分な効果が出ないばかりか、副作用のおそれもあります。

Q1 目薬を使った後、目をパチパチしたほうが効きますか?

A **点眼薬の正しい使い方**をご説明いたしますね。
①まず、手を洗います
②軽く上を向き、容器の先端が目やまつ毛に触れないように1滴落とします
③目を閉じ、しばらくの間、目頭を軽く押さえます
④目からあふれた点眼薬を拭き取ります
薬液を目に落としたとき、目に行き渡らせようと、目をパチパチする方がいますが、その刺激で薬液が鼻に流れ込み、思わぬ副作用を起こす可能性があります。
そのため、目はパチパチせず、閉じたままでいましょう。その際に、目頭を押さえておくと、薬液が鼻に流れ込むのを防ぐことができます。

Q2 コンタクトレンズをつけたまま、目薬を使っていいですか?

A コンタクトレンズを装着したまま点眼薬を使用すると、ほとんどの目薬に配合されている防腐剤がコンタクトレンズに吸着されやすく、**角膜に傷がつくおそれ**があります。そのため、コンタクトレンズは外してから点眼するようにしてください。ただし、「コンタクトレンズをつけたまま使用可能」という表示があるものは、装着したまま使用しても問題ありません。

Q3 「疲れ目」と「眼精疲労」の違いは何ですか？

A 「疲れ目」は目の酷使により起こる、目のピント調節をする筋肉が緊張した状態のことです。一般的に休息をとれば回復します。一方「眼精疲労」は休息をとってもすぐに目が疲れるような慢性的な疲れ目に、肩こりや頭痛などを伴う状態のことです。眼精疲労は単純に目薬を使えばよいのではなく、ビタミン剤を服用するなど、全身のケアが必要なこともあります。

Q4 目薬は何滴使用すればよいですか？

A 目薬の用法用量には、1回1～3滴と幅をもたせている商品が多いので、何滴使用するのがよいか迷いますよね。なかには「目からあふれ出ないと効いた気がしない」という方もいらっしゃいます。
目薬は一般的にどの商品でも、1滴が約50μLに調整されています。それに対し、目の内部の容積は約30μL。1滴でもあふれる計算になりますね。そのため、一般的に**目薬は1滴使用すれば十分**です。

Q5 涙と同じ成分のドライアイ用の目薬なら、何回使っても平気ですか？

A 目薬を使いすぎると、角膜や結膜に栄養を補給するムチン層まで洗い流してしまうおそれがあります。ムチン層は粘液層で、涙を目に留めておく役割を担っています。そのため、さらなる目の乾きを生じたり、症状を悪化させるおそれがあるのです。涙と同じ成分であっても、**用法用量を守って使用していただくことが大切**です。

10 ビタミン剤 …… *Vitamin preparations*

身体が疲れた、しみが気になる、口内炎ができやすいなど、ちょっとした不調に対し、「試してみようかな」と手に取る方が多いのがビタミン剤。商品選びのポイントを見ていきましょう。

ビタミン剤とは

「滋養強壮保健薬」の中で、1種類以上のビタミンを主薬製剤とし、ビタミンの有効性が期待される症状と補給に用いられることを目的とする保健薬のことをいいます。ほかの栄養素の働きをサポートする役割を担っています。

■ ビタミン剤の効果が期待できる主な症状

肉体疲労、滋養強壮、栄養バランスのくずれ

ビタミンB群を中心とした総合ビタミン剤を使用することで、エネルギーを産生し、疲労回復を助ける。

眼精疲労、肩こり、腰痛、神経痛、手足のしびれ

筋肉の疲れに効果があるビタミンB群や、血行促進作用のあるビタミンE主薬製剤を使用する。

肌荒れ、にきび、口内炎

肌の健康維持を助けるビタミンB群、さらにコラーゲンの生成を助けるビタミンC主薬製剤が配合されたものを使用する。

しみ、そばかす、歯茎からの出血

コラーゲンの生成を促す効果のある、ビタミンC主薬製剤を使用する。

冷え、月経不順、肩・首のこり

血行促進作用のあるビタミンE主薬製剤を使用する。

ドライアイ、夜盲症（とり目）

網膜が明暗を感知するために必要な、ビタミンA主薬製剤を使用する。

野菜不足が気になる

体調を整える効果があり野菜に多く含まれているビタミンCを補う、ビタミンC主薬製剤を使用する。

骨・歯の発育不良

粘膜の正常な働きを補うビタミンA、カルシウムの吸収を促進するビタミンDの効果を期待して、ビタミンA・D主薬製剤を使用する。

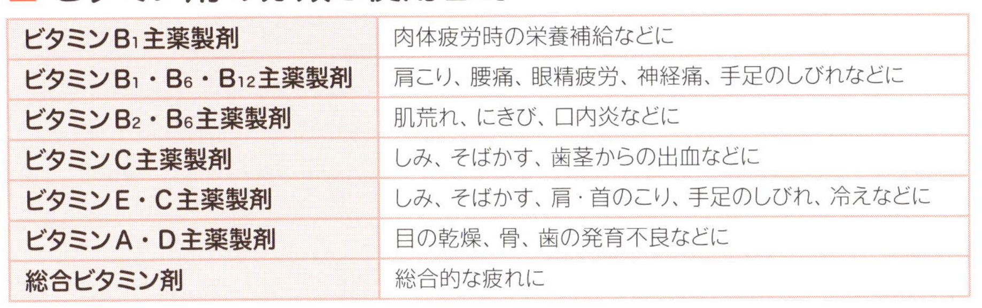

ビタミン剤の種類と特徴

バランスのよい食事が大切とわかっていてもなかなか…という方は多いはず。そんなときにはビタミン剤を上手に活用するようアドバイスしましょう。

■ ビタミン剤の分類と使用目的

ビタミンB_1主薬製剤	肉体疲労時の栄養補給などに
ビタミンB_1・B_6・B_{12}主薬製剤	肩こり、腰痛、眼精疲労、神経痛、手足のしびれなどに
ビタミンB_2・B_6主薬製剤	肌荒れ、にきび、口内炎などに
ビタミンC主薬製剤	しみ、そばかす、歯茎からの出血などに
ビタミンE・C主薬製剤	しみ、そばかす、肩・首のこり、手足のしびれ、冷えなどに
ビタミンA・D主薬製剤	目の乾燥、骨、歯の発育不良などに
総合ビタミン剤	総合的な疲れに

■ ビタミン剤の主な成分

ビタミンA（レチノール）	主に目の乾きに使用し、皮膚や粘膜の健康を保つ。光反応の感知に重要なビタミンでもあり、夜盲症（とり目）にも使用する。β-カロテンは、体内でビタミンAに変換されるプロビタミンAとよばれる
ビタミンB_1（チアミン）	糖からエネルギーを産生する。筋肉の疲労を改善し、神経の機能を正常に保つ。肉体疲労、神経痛、眼精疲労などに使用する
ビタミンB_2（リボフラビン）	皮膚や爪、髪などを健康に保つ。口内炎、肌荒れ、にきびなどに使用する
ビタミンB_6（ピリドキシン）	タンパク質からエネルギーを産生するほか、皮膚を健康に保つ。口内炎、肌荒れ、にきびなどに使用する
ビタミンB_{12}（コバラミン）	赤血球の生成を助けるとともに、神経の修復を促す。手足のしびれ、貧血気味の方に使用する
葉酸（ビタミンB_9）	赤血球の生成を助けるため、貧血気味の方に使用する。そのほか、末梢神経の修復を促す
ナイアシン（ニコチン酸、ニコチン酸アミド）	エネルギーを産生したり、皮膚を健康に保つ。肌荒れなどに使用する
パントテン酸	糖、脂質、タンパク質からエネルギーを産生するほか、ストレスをやわらげる効果も期待できる
ビタミンC（アスコルビン酸）	コラーゲンを生成し、メラニン色素の生成を抑える。皮膚や粘膜の健康維持に役立つ。しみ、そばかす、歯茎からの出血などに使用する
ビタミンD（カルシフェロール）	カルシウムやリンの吸収を促進し、骨や歯の形成を助け、発育不良、骨軟化症の予防などに使用する
ビタミンE（トコフェロール）	抗酸化作用や、血行改善、ホルモン分泌の調整をする。肩・首のこり、手足の冷え・しびれなどに使用する
ビオチン	コラーゲンの生成を助け、皮膚を健康に保つ。肌荒れに使用する
ビタミンK	血液を凝固（止血）させるほか、骨や歯の形成を助ける

販売時に気をつけること

全般

- 健康管理の基本はバランスのよい食事です。体内でつくられないビタミンもあるため、食物など外からの補給が必要なのです。食生活が不規則な方はビタミン剤を使用することが有効ですが、**ビタミン剤が栄養の中心とならないよう**に、上手に生活に取り入れるように伝えましょう。
- 脂溶性ビタミンと水溶性ビタミン

ビタミンは全部で13種類。脂溶性と水溶性に分類され、以下の２点が注意事項です。

①過剰摂取による影響

水溶性ビタミンは、たとえ過剰に摂取しても水に溶けるため尿として排出されます。一方、脂溶性ビタミンは、体内に貯蔵されます。そのため、ビタミンA、D、E、Kは過剰に摂取すると「過剰症」を起こすおそれがあります。

②服用するタイミング

脂溶性ビタミンが効率よく吸収されるには、胆汁酸という消化液が必要です。**胆汁酸の分泌は食後に高まる**ため、食後に服用することをおすすめしましょう。また、油に溶ける性質から、調理の際に油を使用する（油炒めなど）こともおすすめです。

	ビタミンの種類	注意点
脂溶性ビタミン	A、D、E、K	過剰摂取により過剰症が起こるおそれ
水溶性ビタミン	ビタミン B_1、B_2、B_6、B_{12}、葉酸、ナイアシン、パントテン酸、ビオチン、ビタミンC	水に溶け出しやすく、熱に弱いため、食事で摂る場合は調理方法を工夫

ビタミンを多く含む代表的な食品例

軽い不調であれば、まずは食事からのビタミン摂取を意識します。食事から十分ビタミンを摂取できている場合、**ビタミン剤を追加して服用すると過剰摂取のおそ**

れがあります。毎日の食事で不足しているビタミンがあれば、これらの食材を無理のない範囲で取り入れるようアドバイスしましょう。

ビタミンA	ウナギ（レチノール）、緑黄色野菜（β-カロテン）
ビタミンB_1	玄米、豚肉
ビタミンB_2	レバー、鶏卵、ウナギ
ビタミンB_6	マグロ、カツオ
ビタミンB_{12}	レバー、アサリ
ビタミンC	柑橘類、ブロッコリー、じゃがいも

ビタミンD	サケ、イワシ、きのこ類
ビタミンE	ウナギ、アーモンド
ビタミンK	モロヘイヤ、小松菜、納豆
ナイアシン	カツオ、タラコ
パントテン酸	レバー、納豆、アボカド
葉酸	レバー、モロヘイヤ、ブロッコリー
ビオチン	大豆

■ 注意点とアドバイス

ビタミンB_1	糖を分解しエネルギーに変える働きがあるため、ふだんから糖分を摂りすぎてしまうと、その分解に多くのビタミンB_1を消費する。ビタミンB_1が不足しがちになる
ビタミンB_2	アルコールは脂肪の分解を妨げる。そのため、アルコールを摂取すると脂肪を分解するために多くのビタミンB_2が必要となり、結果的にビタミンB_2が不足しがちになる
ビタミンB_6、葉酸、パントテン酸、ビオチン	体内では腸内細菌で合成されるため、不足することは少ない
ビタミンB_{12}	体内では腸内細菌で合成されるため、不足することは少ない。しかし、野菜にはほとんど含まれていないビタミンのため、ベジタリアンは不足しがちになる
ナイアシン	体内では、必須アミノ酸であるトリプトファンから合成されるため、不足することは少ない
ビタミンC	水に溶けやすく、壊れやすいため調理に工夫が必要。野菜や果物を洗う際には短時間で、水に長く浸すことはやめる。果物を切ったまま時間が経つと、酸化しやすいため、早めに食べるようにする
ビタミンD	直射日光を浴びると、体内でビタミンDを産生できる。成長期の子どもや、骨密度が低下してくる高齢者では、1日10分ほど散歩などで日光を浴びるようにする 近年、ビタミンDの研究が進み、アレルギー症状を緩和したり、免疫力を強化する働きがあることが報告されている。花粉症の症状を緩和したり、風邪やインフルエンザなどにかかりにくくなる効果が唱えられるなど、いま注目されている
ビタミンK	体内では腸内細菌で合成されるため、不足することは少ない。しかし、腸内細菌が少ないと合成されないため、腸内環境を整えておくことが重要である

■ 受診勧奨の目安

症状	・1か月ほど使用しても症状が改善しない ・不調の原因が、疾病がもとになっていることが疑われる

■ 脂溶性ビタミンは過剰症に注意

●ビタミンA：吐き気、頭痛、下痢、めまい、皮膚のかゆみなど
●ビタミンD：吐き気、倦怠（けんたい）感、食欲不振など
●ビタミンE：月経が予定より早まる、経血量が増えるなど

ビタミン剤を使用する際には用法用量をきちんと守り、過剰摂取が疑われる場合には、服用を中止するようアドバイスしましょう。

■ こんな副作用に注意

ナイアシン（ニコチン酸、ニコチン酸アミド）	血行改善の効果が強く出ると、顔が赤くほてったり、かゆみを感じることがある。通常、それらは一過性の症状で大きな問題になることは少ないが、症状が強く出たり、継続する場合には使用を中止し、受診をすすめる

聴き取りのポイント

ほかの薬に比べて、比較的注意点は少ないといえます。その分、ビタミンについての知識や食生活のアドバイスなど、年齢やライフスタイルに応じた情報提供が求められます。

■ 使用者の確認

妊婦、妊娠を希望される場合	妊娠3か月前～妊娠3か月に、ビタミンAを1日10,000IU以上摂取すると胎児に悪影響が起こるおそれがあるため、用法用量をきちんと守りながら服用する 過剰摂取が気になる人には、レチノールではなくβ-カロテンをすすめる。β-カロテンはビタミンAが少ないときだけ、体内でビタミンAに変換されるため、摂りすぎの心配はまずない。β-カロテンが多く含まれる緑黄色野菜を多く食事に取り入れるとよい そのほか、妊娠中の栄養補給に使用できるものは多いが、添付文書での効能効果に「妊娠授乳期の栄養補給」と記載のあることを確認をしてから販売する。可能であれば、かかりつけ医の了承を得てから販売するとより安心である
15歳未満の小児	小児に適用のある商品を選び、保護者の監督の下での使用を促す

■ 症状の確認

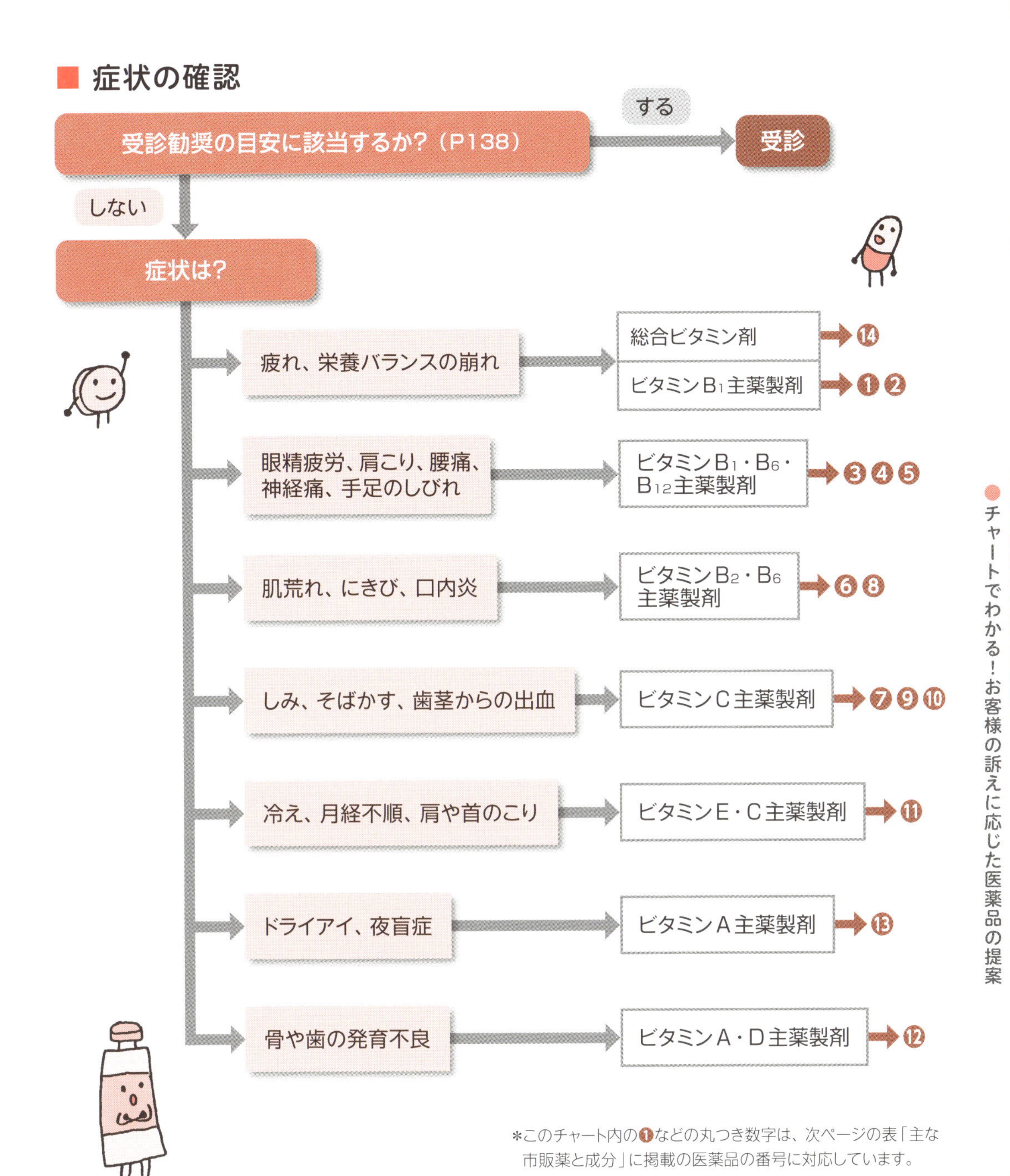

＊このチャート内の❶などの丸つき数字は、次ページの表「主な市販薬と成分」に掲載の医薬品の番号に対応しています。

主な市販薬と成分

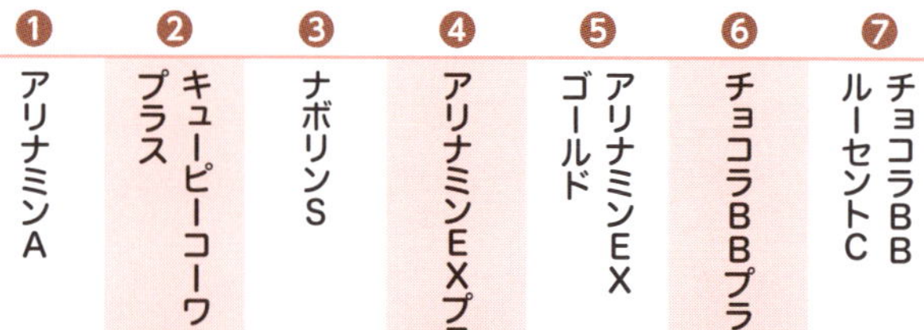

	❶ アリナミンA	❷ キューピーコーワiプラス	❸ ナボリンS	❹ アリナミンEXプラス	❺ アリナミンEXゴールド	❻ チョコラBBプラス	❼ チョコラBBルーセントC
ビタミンA（レチノール）							
ビタミンB1（チアミン）	● 109.16mg	● 100mg	● 109.16mg	● 109.16mg	● 109.16mg	● 20mg	
ビタミンB2（リボフラビン）	● 12mg					● 38mg	● 15mg
ビタミンB6（ピリドキシン、ピリドキサール）	● 20mg		● 100mg	● 100mg	● 60mg	● 50mg	● 20mg
葉酸			● 5mg		● 1mg		
ビタミンB12（シアノコバラミン、メコバラミン）	● 60µg	● 60µg	● 1500µg	● 1500µg	● 1500µg		
ニコチン酸アミド（ナイアシン）						● 40mg	● 25mg
ビタミンC（アスコルビン酸）							● 600mg
ビタミンD（カルシフェロール）							
ビタミンE（トコフェロール）		● d-α-トコフェロールコハク酸エステル 50mg	● d-α-トコフェロール酢酸エステル 100mg	● トコフェロールコハク酸エステル 100mg	● d-α-トコフェロールコハク酸エステル 100mg		● d-α-トコフェロールコハク酸エステル 100mg
ビオチン							
パントテン酸	● 15mg			● 30mg		● 20mg	
その他		オキソアミヂン末、L-アスパラギン酸マグネシウム・カリウム、ガンマ・オリザノール、ヘプロニカート		ガンマ・オリザノール	ガンマ・オリザノール		L-システイン

特に注意したい副作用

A ビタミンA…過剰摂取により吐き気、頭痛、下痢、めまい、皮膚のかゆみなどが現れる

	⑧ハイチオールBクリア	⑨トランシーノ ホワイトCクリア	⑩ハイチオールCプラス	⑪ユンケルEC	⑫チョコラAD	⑬カワイ肝油ドロップS	⑭ポポンSプラス	特に注意したい副作用
ビタミンA（レチノール）					● 4mg	● 1.2mg	● 0.6mg	A
ビタミンB_1（チアミン）	● 10mg						● 10mg	
ビタミンB_2（リボフラビン）	● 38mg	● 6mg		● 12mg			● 6mg	
ビタミンB_6（ピリドキシン、ピリドキサール）	● 50mg	● 12mg					● 15mg	
葉酸							● 400μg	
ビタミンB_{12}（シアノコバラミン、メコバラミン）							● 60μg	
ニコチン酸アミド（ナイアシン）	● 40mg	● 60mg					● 50mg	
ビタミンC（アスコルビン酸）	● 50mg	● 1000mg	● 500mg	● 1500mg			● 150mg	
ビタミンD（カルシフェロール）					● 5μg	● 0.01mg	● 5μg	B
ビタミンE（トコフェロール）		● d-α-トコフェロール 50mg		● d-α-トコフェロール酢酸エステル 300mg	● d-α-トコフェロール酢酸エステル 10mg		● d-α-トコフェロール酢酸エステル 10mg	C
ビオチン	● 100μg							
パントテン酸	● 20mg		● 24mg				● 20mg	
その他	L-システイン	L-システイン	L-システイン				無水リン酸水素カルシウム、沈降炭酸カルシウム、炭酸マグネシウム、フマル酸第一鉄	

B ビタミンD…過剰摂取により吐き気、倦怠感、食欲不振などが現れる

C ビタミンE…過剰摂取により月経が予定より早まる、経血量が増えるなどの症状が現れる

よくある質問

よく耳にするのに、正しい知識を身につけている人が少ないビタミン。適切に使用して希望通りの効果を得てもらうためには、専門家としての的確なアドバイスが必要です。

Q1 どのくらいで効果が出ますか？

A 症状の強さやライフスタイルの違いにより、効果の発現には個人差があります。そのため、はっきりと申し上げることはできませんが、口内炎などの粘膜のトラブルでは5日間、肌荒れなどの皮膚のトラブルや疲労回復には1か月が目安となります。
それを超えてもなお、**症状が変わらない場合には、医師への受診**をおすすめします。初めてお使いになる場合は、大容量のものではなく、1か月分くらいの商品をおすすめします。

Q2 ビタミンEには、「天然型」や「合成」などがあるのですが、どう違うのですか？

A ビタミンEには、「天然」「天然型」「合成」の3タイプの商品が存在します。「天然」はd-α-トコフェロールと記載されています。植物油から抽出したビタミンEをそのまま使用したものです。
「天然型」はd-α-トコフェロール酢酸エステルと記載されています。植物油から抽出したビタミンEに酢酸をつけたものです。
「合成」はdl-α-トコフェロール酢酸エステルと記載されています。人工的に合成して製造したビタミンEです。
合成ビタミンEの生理活性（効力）を1として、この3タイプを比較すると以下のようになり、効力は天然>天然型>合成となります。

	生理活性（効力）類
合成ビタミンE	1.00
天然型ビタミンE	1.36
天然ビタミンE	1.49

[第3章]

接客スキルアップに役立つ！プラスワン基礎知識

医薬品は売ったらオシマイ、
ではなく、売る前にも、売った後にも
いろいろと考える必要のある
商品なんだ。お客様の要望に
しっかり対応できるよう一緒に
頑張りましょう！

1 持病のある人への対応

持病のある人には、使用できない成分や注意が必要な成分があります。
確認をせずに医薬品を販売し使用した場合、
使用した人の持病が悪化してしまう可能性があります。

最初にお客様の状況を把握する

持病のある人といっても、疾患の種類はもちろん、その病状や状況は人により異なります。たとえば「高血圧」というくくりで見ても、日常的に血圧が200mmHgを超えるような人、高血圧を発症しているが薬を飲むことで血圧が正常範囲で安定している人、発症しているが薬を飲まずに様子をみている人など、さまざまです。そのため、登録販売者としてすべての人に**受診をすすめることが正解ではなく**、またすべての人に薬を販売できるわけでもありません。

その対応には、疾患についての正しい知識が必要になるため、経験の浅い登録販売者には持病のあるお客様への対応が苦手な人が多いようです。

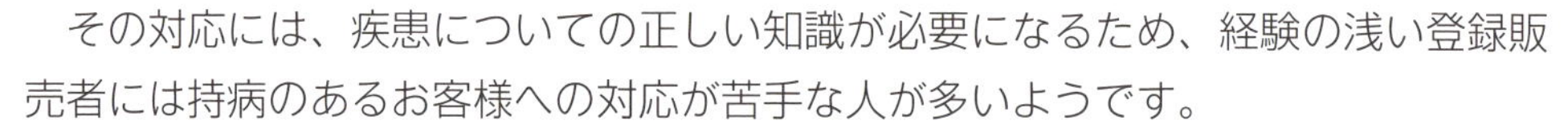

スタッフ間の連携が重要

持病のあるお客様にしっかりと対応するには、かなりの知識と経験が必要になります。登録販売者として、最初からひとりで完璧に…というのはハードルが高く感じるでしょう。不確かな知識のまま対応することほど怖いものはありません。むずかしいのは当たり前、わからなくて当たり前という気持ちで、徐々に覚えていけばよいのです。

しかし、いつまでもわからないままにしてはいけません。そこで必要になることは、薬剤師やベテランの登録販売者との連携です。わからないときは、積極的に相談しましょう。

接客対応を代わってもらうのもよいですね。交代したらその場を離れるのではなく、可能なかぎりその接客を見て覚えておき、後でメモをとります。そして次回、同じような状況になった時に、自分の接客に役立てていきましょう。それを**くり返すことで知識を蓄え、さまざまなケースに対応できる**ようになるのです。

こんな持病の人に、こんな薬は要注意

「服用してはいけない人」にしぼり、代表的な疾患について下の表に薬効群をまとめています。持病のある人が来店したときには、これを参考に注意すべき薬効群、成分を確認してから商品を提案しましょう。

ただし、実際の販売にあたっては商品により配合成分が異なるため、**添付文書を必ず確認**してください。

疾患名	添付文書	注意が必要な薬効群
心臓病	してはいけないこと	鼻炎用内服薬（プソイドエフェドリン塩酸塩配合）、眠気防止薬
高血圧	してはいけないこと	かぜ薬（プソイドエフェドリン塩酸塩配合）、鼻炎用内服薬（プソイドエフェドリン塩酸塩配合）
喘息	してはいけないこと	かぜ薬、解熱鎮痛薬（NSAIDs配合）、外用消炎鎮痛薬（NSAIDs配合）
胃潰瘍	してはいけないこと	眠気防止薬
糖尿病	してはいけないこと	かぜ薬（プソイドエフェドリン塩酸塩配合）、鼻炎用内服薬（プソイドエフェドリン塩酸塩配合）
甲状腺機能障害	してはいけないこと	かぜ薬（プソイドエフェドリン塩酸塩配合）、鼻炎用内服薬（プソイドエフェドリン塩酸塩配合）
前立腺肥大症による排尿困難	してはいけないこと	かぜ薬（プソイドエフェドリン塩酸塩配合）、鼻炎用内服薬（プソイドエフェドリン塩酸塩配合）
透析療法中	してはいけないこと	胃腸薬（アルミニウム配合）

情報の基本は添付文書

医薬品販売における基本的な情報源は添付文書です。一般用医薬品の場合、添付文書は「商品の購入者である一般使用者を対象とした文書」という位置づけのため、その内容は必要最低限の情報しか掲載されていないことがあります。そのため、持病のある人への対応では情報が足りない場合もあります。しかし、薬を販売するにあたって添付文書に記載されている情報は確実に守らなければいけません。そのため、まずは添付文書の情報を確認することが原則です。

■ 添付文書の例

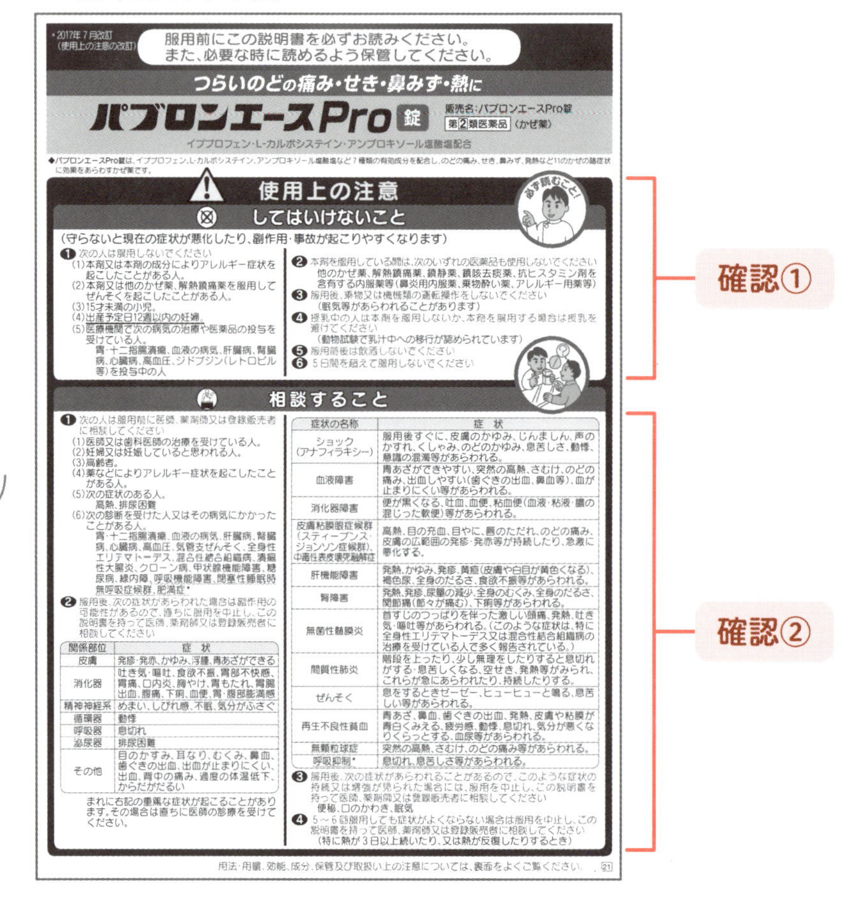

・2017年7月改訂
（使用上の注意の改訂）

服用前にこの説明書を必ずお読みください。
また、必要な時に読めるよう保管してください。

つらいのどの痛み・せき・鼻みず・熱に

パブロンエースPro 錠

販売名：パブロンエースPro錠
第2類医薬品（かぜ薬）

イブプロフェン・L-カルボシステイン・アンブロキソール塩酸塩配合

◆パブロンエースPro錠は、イブプロフェン、L-カルボシステイン、アンブロキソール塩酸塩など7種類の有効成分を配合し、のどの痛み、せき、鼻みず、発熱など11のかぜの諸症状に効果をあらわすかぜ薬です。

使用上の注意

必ず読むこと！

してはいけないこと

（守らないと現在の症状が悪化したり、副作用・事故が起こりやすくなります）

1. 次の人は服用しないでください
   (1)本剤又は本剤の成分によりアレルギー症状を起こしたことがある人。
   (2)本剤又は他のかぜ薬、解熱鎮痛薬を服用してぜんそくを起こしたことがある人。
   (3)15才未満の小児。
   (4)出産予定日12週以内の妊婦。
   (5)医療機関で次の病気の治療や医薬品の投与を受けている人。
   胃・十二指腸潰瘍、血液の病気、肝臓病、腎臓病、心臓病、高血圧、ジドブジン（レトロビル等）を投与中の人
2. 本剤を服用している間は、次のいずれの医薬品も使用しないでください
   他のかぜ薬、解熱鎮痛薬、鎮静薬、鎮咳去痰薬、抗ヒスタミン剤を含有する内服薬等（鼻炎用内服薬、乗物酔い薬、アレルギー用薬等）
3. 服用後、乗物又は機械類の運転操作をしないでください
   （眠気等があらわれることがあります）
4. 授乳中の人は本剤を服用しないか、本剤を服用する場合は授乳を避けてください
   （動物試験で乳汁中への移行が認められています）
5. 服用前後は飲酒しないでください
6. 5日間を超えて服用しないでください

相談すること

1. 次の人は服用前に医師、薬剤師又は登録販売者に相談してください
   (1)医師又は歯科医師の治療を受けている人。
   (2)妊婦又は妊娠していると思われる人。
   (3)高齢者。
   (4)薬などによりアレルギー症状を起こしたことがある人。
   (5)次の症状のある人。
   高熱、排尿困難
   (6)次の診断を受けた人又はその病気にかかったことがある人。
   胃・十二指腸潰瘍、血液の病気、肝臓病、腎臓病、心臓病、高血圧、気管支ぜんそく、全身性エリテマトーデス、混合性結合組織病、潰瘍性大腸炎、クローン病、甲状腺機能障害、糖尿病、緑内障、呼吸機能障害、閉塞性睡眠時無呼吸症候群、肥満症*
2. 服用後、次の症状があらわれた場合は副作用の可能性があるので、直ちに服用を中止し、この説明書を持って医師、薬剤師又は登録販売者に相談してください

関係部位	症　状
皮膚	発疹・発赤、かゆみ、浮腫、青あざができる
消化器	吐き気・嘔吐、食欲不振、胃部不快感、胃痛、口内炎、胸やけ、胃もたれ、胃腸出血、腹痛、下痢、血便、胃・腹部膨満感
精神神経系	めまい、しびれ感、不眠、気分がふさぐ
循環器	動悸
呼吸器	息切れ
泌尿器	排尿困難
その他	目のかすみ、耳なり、むくみ、鼻血、歯ぐきの出血、出血が止まりにくい、出血、背中の痛み、過度の体温低下、からだがだるい

まれに右記の重篤な症状が起こることがあります。その場合は直ちに医師の診療を受けてください。

症状の名称	症　状
ショック（アナフィラキシー）	服用後すぐに、皮膚のかゆみ、じんましん、声のかすれ、くしゃみ、のどのかゆみ、息苦しさ、動悸、意識の混濁等があらわれる。
血液障害	青あざができやすい、突然の高熱、さむけ、のどの痛み、出血しやすい（歯ぐきの出血、鼻血等）、血が止まりにくい等があらわれる。
消化器障害	便が黒くなる、吐血、血便、粘血便（血液・粘液・膿の混じった軟便）等があらわれる。
皮膚粘膜眼症候群（スティーブンス・ジョンソン症候群）、中毒性表皮壊死融解症	高熱、目の充血、目やに、唇のただれ、のどの痛み、皮膚の広範囲の発疹・発赤等が持続したり、急激に悪化する。
肝機能障害	発熱、かゆみ、発疹、黄疸（皮膚や白目が黄色くなる）、褐色尿、全身のだるさ、食欲不振等があらわれる。
腎障害	発熱、発疹、尿量の減少、全身のむくみ、全身のだるさ、関節痛（節々が痛む）、下痢等があらわれる。
無菌性髄膜炎	首すじのつっぱりを伴った激しい頭痛、発熱、吐き気・嘔吐等があらわれる。（このような症状は、特に全身性エリテマトーデス又は混合性結合組織病の治療を受けている人で多く報告されている。）
間質性肺炎	階段を上ったり、少し無理をしたりすると息切れがする・息苦しくなる、空せき、発熱等がみられ、これらが急にあらわれたり、持続したりする。
ぜんそく	息をするときゼーゼー、ヒューヒューと鳴る、息苦しい等があらわれる。
再生不良性貧血	青あざ、鼻血、歯ぐきの出血、発熱、皮膚や粘膜が青白くみえる、疲労感、動悸、息切れ、気分が悪くなりくらっとする、血尿等があらわれる。
無顆粒球症	突然の高熱、さむけ、のどの痛み等があらわれる。
呼吸抑制*	息切れ、息苦しさ等があらわれる。

3. 服用後、次の症状があらわれることがあるので、このような症状の持続又は増強が見られた場合には、服用を中止し、この説明書を持って医師、薬剤師又は登録販売者に相談してください
   便秘、口のかわき、眠気
4. 5～6回服用しても症状がよくならない場合は服用を中止し、この説明書を持って医師、薬剤師又は登録販売者に相談してください
   （特に熱が3日以上続いたり、又は熱が反復したりするとき）

用法・用量、効能、成分、保管及び取扱い上の注意については、裏面をよくご覧ください。　21

確認①

確認②

確認①【してはいけないこと】の【次の人は服用しないでください】

この項目の確認は必須ですが、持病のある人の場合は特に大切です。「この薬を服用してはいけない人」の項目中に、くわしい病名が書かれていることがあるからです。ここに**記載のある持病の人には、この薬を提案してはいけません**。まずはこの項目についてしっかりと覚えておき、確実に対応しましょう。

たとえば右の図では、胃・十二指腸潰瘍、血液の病気、肝臓病、腎臓病、心臓病、高血圧、ジドブジンを投与中の人は服用してはいけないという記載があり、これに当てはまる人は服用できません。

■「服用してはいけない人」の例

❶ 次の人は服用しないでください
(1)本剤又は本剤の成分によりアレルギー症状を起こしたことがある人。
(2)本剤又は他のかぜ薬、解熱鎮痛薬を服用してぜんそくを起こしたことがある人。
(3)15才未満の小児。
(4)出産予定日12週以内の妊婦。
(5)医療機関で次の病気の治療や医薬品の投与を受けている人。
胃・十二指腸潰瘍、血液の病気、肝臓病、腎臓病、心臓病、高血圧、ジドブジン(レトロビル等)を投与中の人

確認②【相談すること】と書いてある場合は?

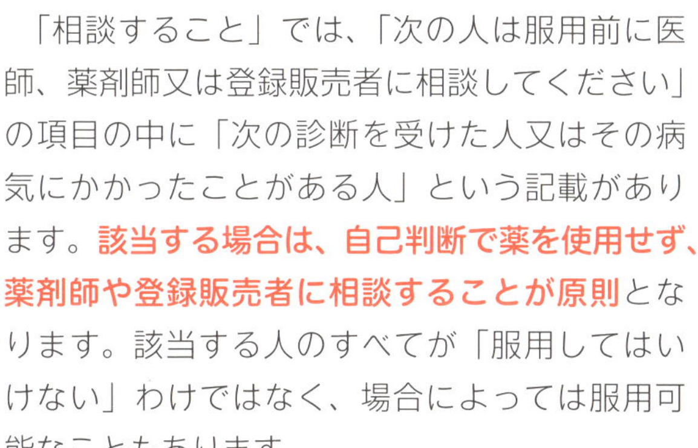

「相談すること」では、「次の人は服用前に医師、薬剤師又は登録販売者に相談してください」の項目の中に「次の診断を受けた人又はその病気にかかったことがある人」という記載があります。**該当する場合は、自己判断で薬を使用せず、薬剤師や登録販売者に相談することが原則**となります。該当する人のすべてが「服用してはいけない」わけではなく、場合によっては服用可能なこともあります。

また、「医師又は歯科医師の治療を受けている人」という記載もあります。受診している人は医療用医薬品を服用している可能性があり、一般用医薬品を使用することで治療の妨げになる場合や、相互作用を生じるおそれがあるためです。医療用医薬品と一般用医薬品との相互作用は非常に複雑であるため、まずは薬剤師に相談し、接客対応を代わってもらいましょう。

■「相談すること」の例

❶ 次の人は服用前に医師、薬剤師又は登録販売者に相談してください
(1)医師又は歯科医師の治療を受けている人。
(2)妊婦又は妊娠していると思われる人。
(3)高齢者。
(4)薬などによりアレルギー症状を起こしたことがある人。
(5)次の症状のある人。
高熱、排尿困難
(6)次の診断を受けた人又はその病気にかかったことがある人。
胃・十二指腸潰瘍、血液の病気、肝臓病、腎臓病、心臓病、高血圧、気管支ぜんそく、全身性エリテマトーデス、混合性結合組織病、潰瘍性大腸炎、クローン病、甲状腺機能障害、糖尿病、緑内障、呼吸機能障害、閉塞性睡眠時無呼吸症候群、肥満症*

2 生活習慣病の基礎知識

お客様の「持病」で一番多いのは「生活習慣病」だと思います。
ここではそのようなお客様の対応の際に必要な基礎知識として、
代表的な疾患である高血圧と糖尿病について知っておきましょう。

生活習慣病と高血圧

生活習慣病とは、食事や運動、ストレス、飲酒、喫煙などの**生活習慣がその発症・進行に深く関与する病気の総称**をいいます。

登録販売者は診断はできないものの、生活習慣の相談対応や、雑談だけであったとしても、生活習慣病に対する基礎的な知識は持っていることが重要です。

高血圧とは

高血圧とは、安静状態での血圧が慢性的に高い状態をさします。高血圧では血管に常に圧力がかかり負担となるため、動脈硬化を起こしやすくなります。さらには脳卒中や心筋梗塞などの重大な疾患に進行するおそれがあります。

血圧は、病院などで測ると、**収縮期血圧（一般的に上の血圧とよばれる）が140mmHg以上、または拡張期血圧（一般的に下の血圧とよばれる）が90mmHg以上が高血圧**になります。これは医師や看護師の白衣を見ると緊張し、血圧が高めになる「白衣高血圧」という現象です。一方、家庭で測ると、収縮期血圧が135mmHg以上または拡張期血圧85mmHg以上が高血圧となります。測る場所によって基準値が異なるのが特徴です。

なかには、年に一度の健康診断の日だけは血圧が低く、ふだん家で測るといつも高いという人もいます。そのような人には一度受診を促すようにします。血圧が高めの人には健康管理のため、また医師が治療の経過をみるときに役立てるために、家でも血圧を測ることをすすめてみてください。

血圧計の選び方

「自宅で使う血圧計が欲しい」というお客様も増えてきました。質問されたときのために、血圧計の種類と簡単な特徴は知っておきましょう。

家庭用の血圧計の機能や使い方は大きく分けて２種類あります。**上腕部で測定する「上腕式」**と、**手首で測定する「手首式」**です。上腕式には毎回自分でカフを巻くものと、腕を入れるだけの全自動式があります。それぞれの血圧計のメリット、デメリットを説明しましょう。

血圧計にも
いろいろなタイプがあります

	上腕式	上腕式（全自動）	手首式
メリット	• 画面や文字が大きく、見やすい • 価格がお手頃のもの多い	• カフを巻く必要がない	• 上着を脱ぐ必要がなく、楽に測定ができる • 旅行や出張先にも持ち運びしやすい
デメリット	• 毎回カフを巻かなくてはいけない	• 価格が高いものが多い • 持ち運びするのが大変	• 測る位置がずれやすく、誤差が出やすい

測定のポイント

● 血圧は一日の中で常に安定しているわけではなく、時間とともに変化します。そのため測るタイミングは重要です。毎日決まった時間に測ることが大切です。日本高血圧学会では、**起床時と就寝前の１日２回の測定**をすすめています。どちらの場合も、椅子に座ってから１～２分安静にした後、落ち着いてから測定するように説明しましょう。

起床時	朝起きてから1時間以内。排尿後、食事や薬の服用前に測る
就寝前	入浴や運動をした場合は、1時間以上あけてから測る

●測定する部位（上腕や手首）が、心臓と同じ高さになるように、正しい姿勢でカフを巻きます。測定する際に心臓よりも上腕や手首を置く位置が低い場合は、血圧計の下に台などを置き、高さを合わせましょう。カフは基本的に素肌の上に、毎回同じ側の腕に巻きましょう。巻き方は機種によって異なりますので、**説明書で確認したうえで説明**しましょう。１人暮らしの高齢者はカフを正確に巻くことがむずかしいことがあり、比較的操作がしやすい手首式を提案してみましょう。

糖尿病とは

血液中のブドウ糖の量（血糖値）が慢性的に増えた状態をいいます。

糖尿病の2つのタイプ

糖尿病型	• 空腹時血糖値が126mg/dL以上 • ブドウ糖負荷試験後の血糖値が200mg/dL以上 • 食事の時間と関係ない時の普通の血糖値が200mg/dL以上 • HbA1c≧6.5%	数値の基準は左記になるが、実際「糖尿病」は、こうした数値に加え、糖尿病の症状、合併症などの有無を考慮し、医師が診断を行う 新人登録販売者は、くわしい診断基準よりも、まずはこの数字だけを覚えておくとよい
境界型	• 空腹時血糖値が110〜125mg/dL • ブドウ糖負荷試験後の血糖値が140〜199mg/dL • HbA1cが5.6-6.4%	境界型とは、ふつうの人よりも血糖値が少し高いものの、まだ糖尿病の診断基準に達していない人をいう。ときには、「糖尿病予備群」とよばれることもある

血糖値

血液中に溶け込んでいるブドウ糖の量を「血糖値」とよびます。健康診断のときに空腹時に測定する血糖値を「空腹時血糖値」といい、ブドウ糖負荷試験（75gのブドウ糖を飲んでから２時間）後の血糖値を「75gOGTT」と言います。

HbA1c

血液中のブドウ糖が赤血球のヘモグロビンに結合した「糖化ヘモグロビン」が、

すべてのヘモグロビンに対してどのくらいの割合で存在しているかをパーセントで表したものです。過去１～２か月の血糖値を反映した数値であり、検査当日の食事などの影響を受けません。血糖値の低い状態が続けばHbA1cの値は低くなり、血糖値の高い状態が続けばHbA1cの値は高くなります。

■ 糖尿病の症状は？

糖尿病の初期にはほとんど自覚症状がありません。しかし、慢性的に血糖値が高くなると次のような症状が現れます。

- ★ やたらと喉が渇く
- ★ 尿の回数が増える
- ★ 体重が減る
- ★ 疲れやすくなる

上記のような症状が現れている場合、かなり血糖値が高くなっていることが考えられます。お客様に相談された場合、「糖尿病の可能性がある」とお伝えすることはできませんが、早めの受診を促す必要があります。

■ 怖いのは合併症

血糖値が高い状態を「症状がないから」と放置していると、合併症の発症の可能性が高まります。実は**糖尿病で最も怖いのが、この合併症**なのです。

糖尿病性神経障害	神経が障害を受けた状態。たとえば、しびれが起きることや、痛みを感じにくくなることがある。糖尿病の合併症では、この神経障害が最初に現れることが多いといわれている。けがに気づきにくく、少しの傷でも治りにくい、悪化しやすいのが特徴。感染が広がり、足が壊死し、足の一部を切断しなければならないケースも。糖尿病の人は、靴ずれや擦りきずなどの小さな傷でも見逃さないことが大切であり、そのような情報は登録販売者からも積極的に発信していきたい
糖尿病性網膜症	目の血管が損傷を受けた状態。ひどくなると視力が低下する場合や、失明する場合も少なくない。糖尿病の人が目の異常を訴え、点眼薬の購入を希望された場合、眼科受診の有無を確認した上で、長期間受診をされていないようなら受診を勧奨する
糖尿病性腎症	高血糖が続き、腎臓がダメージを受けた状態。排尿困難や残尿感が出ることもあり、悪化すると透析療法が必要になる場合もある

3 オーラルケアの基礎知識

口の中の環境は全身を左右すると言われるように、口の疾患から全身の疾患を引き起こすこともあります。どんなケアをすればよいか、どんな商品が提案できるかおさえましょう。

口中の疾患が原因でこんな疾患が??

近年、**口の中の環境が全身に影響を及ぼす可能性**があることが明らかになりつつあります。たとえば、歯周病を発症すると糖尿病や心疾患を起こしやすいというデータがあります。それ以外にも歯周病が全身に与える影響について研究が進められています。

年に数回の歯科医院でのケアも大切ですが、自宅で日常行えるケアを怠ってはいけません。オーラルケアの重要性とその方法をお客様に伝えましょう。

歯周病と歯磨きの重要性

「歯周病」は**細菌によって引き起こされる歯のまわりの組織の炎症**です。歯肉だけが炎症を起こし、赤く腫れたり出血したりする「歯肉炎」と、歯を支えている骨(歯槽骨)にまで炎症が広がった「歯周炎」を総称して「歯周病」といいます。歯槽骨にまで炎症がおよぶと、骨が溶かされ、歯がグラグラし、抜け落ちてしまうこともあります。しかし、歯周病の初期には症状がほとんどないことが特徴です。

歯周病の原因は歯についた歯垢(プラーク)です。歯垢は、歯についた食べカスなどに細菌が繁殖したもので、歯周病をはじめ、虫歯や口臭発生の原因となります。そのため、自宅でのオーラルケアはプラークを取り除くことが基本です。プラーク除去のためにまずは歯みがきを徹底しましょう。歯ブラシは、効率良くプラークを除去するために、「ふつう」のかたさがおすすめです。ただし、歯肉に腫れや出血が見られる方には「やわらかめ」がよいでしょう。

歯ブラシの毛先は、歯と歯肉の境目に45度の角度で当て、細かく前後に動かしながら軽い力でみがくのがポイントです。正しいケアの方法を知らせましょう。

歯間ブラシとデンタルフロスの活用

「歯ブラシ」は歯の表面の歯垢を落とすことに優れています。しかし、歯と歯の間（歯間部）はどうしても毛先が届きにくく、プラークや食べかすが残りやすくなります。下のデータにあるように、歯間部のプラークは歯ブラシのみでは61%しか落とせませんが、デンタルフロスの併用により79%まで、歯間ブラシの併用では85%まで落とすことができます。お客様には、**歯間ブラシやデンタルフロスの併用**をすすめてみましょう。

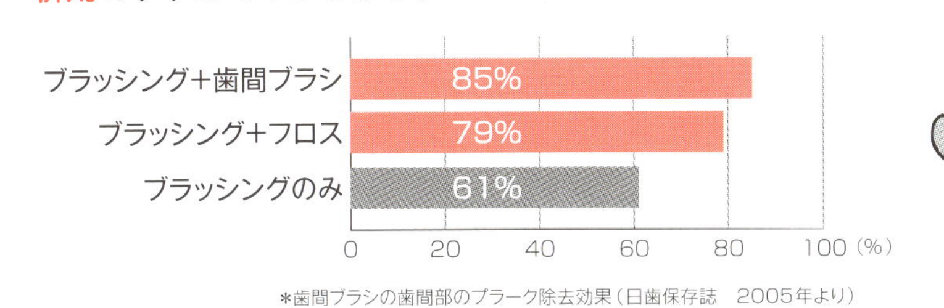

＊歯間ブラシの歯間部のプラーク除去効果（日歯保存誌　2005年より）

歯間ブラシや
デンタルフロスの
使用を提案して
みましょう

歯間ブラシとデンタルフロスはそれぞれ特徴があります。歯と歯のすき間が広い場合は「歯間ブラシ」、狭い場合は「デンタルフロス」が主に利用されています。

歯間ブラシ	L字型　ストレート型	歯と歯のすき間が広く空いているところ（三角形のすき間）に差し込んで使う	
デンタルフロス	糸巻きタイプ　ホルダー付きフロス	歯と歯のすき間がせまいところに、弾力性のある細い繊維の束でプラークをからめ取る	
		糸巻きタイプ	自分で必要量を切り取り、指で操作して使用する。操作が多少むずかしいため、ある程度慣れが必要
		ホルダー付きフロス	ホルダーにフロスがついているタイプ。ホルダー部分を持って使用できるため、操作は比較的簡単。高齢者の方にもすすめやすい

■ 歯間ブラシ

歯間ブラシにはSSSからLLまでさまざまなサイズがあります。**歯と歯の間の広さに合わせて、使用時に無理なく動かせるサイズ**がよいことを伝えましょう。

はじめて使用する人は選ぶことがむずかしいので、まずは一番小さいサイズを案内するとよいでしょう。一番小さいサイズが入らない場合は、デンタルフロスをすすめます。

歯間ブラシは使い捨てではなく、歯ブラシと同じように、使用後は洗ってくり返し使用できます。毛先が傷んだ場合や、ワイヤーが曲がってしまった場合には交換しましょう。

歯と歯の間	最小通過径（mm）	サイズ	適応部位
狭い	～0.8	SSS	歯と歯の隙間のせまい箇所
↑	0.8～1.0	SS	
↕	1.0～1.2	S	軽度の歯茎の退縮部位や歯並びの悪い箇所
↕	1.2～1.5	M	歯茎の退縮部位やブリッジの周辺など
↓	1.5～1.8	L	歯と歯の隙間が広いところや歯根が露出している箇所
広い	1.8～	LL	歯の隙間が広い箇所や孤立した歯の周辺など

■ デンタルフロス

歯と歯のせまいすき間のプラークをからめ取ることができますが、**歯間ブラシよりも使い方がむずかしく、慣れが必要**です。

デンタルフロスには、ワックス（WAX）とノンワックス（UNWAX）があります。

ワックスは文字通り糸にワックスがついているもの。歯と歯の間に挿入しやすく、動かしやすいという特徴があります。慣れていない人でも使いやすいのでおすすめです。

ノンワックスはワックスがついていないため、慣れていないと歯と歯の間に挿入しにくいですが、その分プラークをからめ取る効果に優れています。

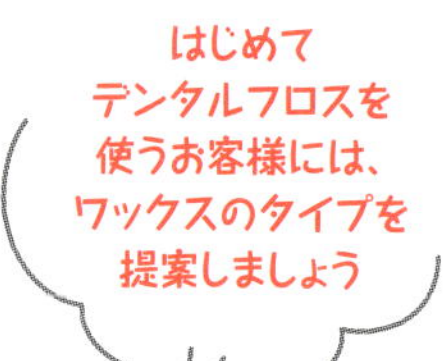

口腔全体のケア

歯ブラシ、歯間ブラシ、デンタルフロスを使用してオーラルケアは完璧！といいたいところですが、口内細菌は口腔全体に生息しています。

これまでのケアは歯の表面を掃除するものであり、口腔全体の一部にしかすぎません。**舌、粘膜などは、マウスウォッシュなどを使いケア**することをすすめます。マウスウォッシュは大きく分けて医薬部外品のものと、化粧品の２種類があります。

■「洗口液」と「液体歯磨き」

同じ棚に陳列され、商品をパッと見ただけでは違いがわかりにくい「洗口液」と「液体歯磨き」ですが、パッケージには必ず記載されています。

さらには、使用方法にもブラッシングが必要なものかどうかがきちんと明記されています。お客様の目的をお聞きし、使用方法を説明したうえで販売するようにしましょう。

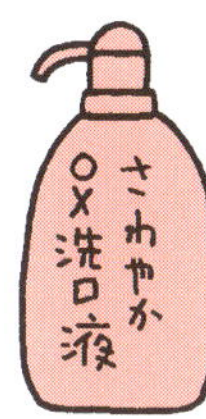

洗口液	歯みがきの後に口に含んですすぐことにより、食べカスを洗い流し、口臭を防止できる。医薬部外品の中には薬用成分を配合し、口腔細菌を殺菌する効果が期待できる商品もある
液体歯磨き	文字通り、歯みがきに使用するもの。口に含んですすいだ後にブラッシングをする必要がある。医薬部外品の中には、プラークの沈着や歯肉炎を予防する高機能の商品もある

■ 主な薬用成分

グルコン酸クロルヘキシジン（殺菌）、塩化セチルピリジウム（殺菌）、塩化ベンゼトニウム（洗浄）

■ 使用感を左右する「アルコール」

洗口液や液体歯磨きには、アルコールを含む商品と、ノンアルコールの商品があります。アルコールを含むものは、使用したときに口中がピリピリと痛いことがあります。

はじめて使用する方、刺激感が苦手な人にはノンアルコールタイプをすすめてみましょう。**両方のタイプを一度試しておく**と、お客様との会話に役立ちますよ。

4 健康食品の基礎知識

国民全体の健康に対する意識が高まっている近年、健康食品を
購入するお客様も年々増加しています。ここでは健康食品とは何か、
どんな種類があるのかなど、基礎的な知識をおさらいしておきましょう。

健康食品とは

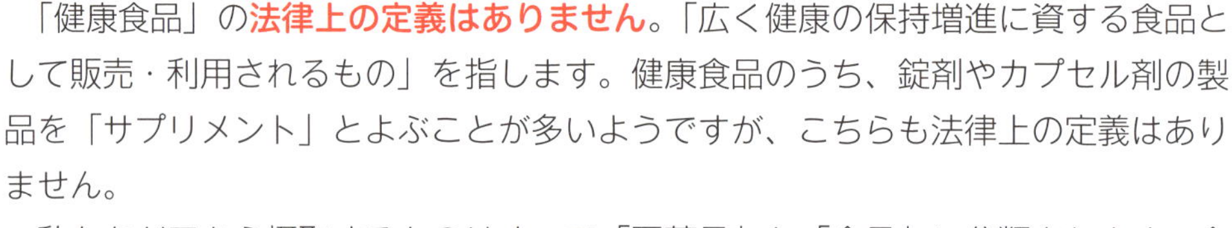

「健康食品」の**法律上の定義はありません**。「広く健康の保持増進に資する食品として販売・利用されるもの」を指します。健康食品のうち、錠剤やカプセル剤の製品を「サプリメント」とよぶことが多いようですが、こちらも法律上の定義はありません。

私たちが口から摂取するものはすべて「医薬品」と「食品」に分類されます。食品は「保健機能食品」と「一般食品」に分けられます。一般食品の中には、一般的に健康食品といわれている「いわゆる健康食品」も含まれています。「いわゆる健康食品」には、医薬品のように身体の構造や機能に影響する表示をすることは認められていません。

保健機能食品とは

「保健機能食品」は「特定保健用食品」「栄養機能食品」「機能性表示食品」に分かれます。「いわゆる健康食品」は身体の構造や機能に影響する表示は認められていませんが、保健機能食品は、限られた範囲で特定の機能性の表示をすることが認められています。

保健機能食品は機能性の表示が可能なため、医薬品と似たようなものと考えられることがありますが、あくまでも食品であり、医薬品ではありません。

たとえば、「血圧が高めの方へ」という表示は可能ですが、医薬品のように「血圧を下げる」という表示はできません。

■ 医薬品と食品

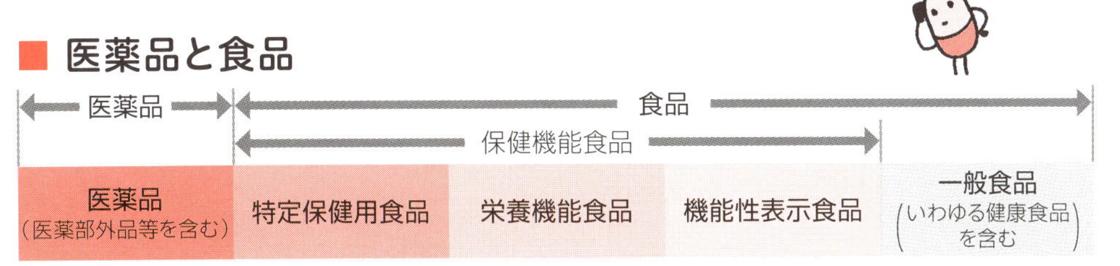

栄養成分表示ハンドブック（東京都福祉保健局）より

特定保健用食品とは

「特定保健用食品」より**「トクホ」**という言葉のほうがなじみ深いかもしれません。「トクホ」は食生活において特定の保健の目的で摂取をする人に対し、その摂取により当該保健の目的が期待できる旨の表示をする食品です。生理的機能や特定の保健機能を示す有効性や安全性等に関する国の審査を受け、許可または承認を取得することで、特定の保健の用途を表示することができます。

■ 特定保健用食品のマーク

お客様は自分の悩みに合った商品を選びやすく、販売者側も説明しやすいというメリットがあります。特徴的なマークもついていて、ひと目で商品がわかりやすいということもいえますね。

表示できる特定の保健の用途には、代表的なものとして、「血圧が高めの方へ」「脂肪の吸収を抑える」「糖の吸収を穏やかにする」「お腹の調子を整える」などがあります。

栄養機能食品とは

特定の栄養成分の補給のために利用される食品のことを指します。特定の栄養成分とは、12種類のビタミン（A、B_1、B_2、B_6、B_{12}、C、E、D、ナイアシン、パントテン酸、葉酸、ビオチン）と5種類のミネラル（カルシウム、マグネシウム、鉄、亜鉛、銅）を指します。**国が定めた基準量の栄養成分**を含んでいれば「栄養機能食品」という表示ができます。

「栄養機能食品」は特定の栄養成分の機能の表示が可能ですが、そのほかにも注意喚起表示等をする必要があります。お客様自身で特定の栄養素の不足を感じている場合、その補給のために提示しやすい商品です。

機能性表示食品とは

「機能性表示食品」とは、「事業者の責任において科学的根拠に基づいた食品の機能性と安全性を届け出たもの」です。**特に審査はなく、届け出をすれば「機能性表示食品」として販売することが可能**です。「おなかの調子を整えます」「脂肪の吸収を穏やかにします」などの、特定の保健の目的が期待できる（健康の維持及び増進に役立つ）という、食品の機能性を表示することができる食品です。生鮮食品を含め、すべての食品分野（一部除く）が対象となっています。

ただし、機能性表示食品は疾病に罹患していない人が対象です。したがって、すでに疾患を持つ人は摂取しないように説明します。また、疾病に罹患していなくても、未成年者、妊産婦（妊娠を計画している人を含む）、授乳婦は対象外です。

■ 機能性表示食品のパッケージにはどのようなことが記載されているか

機能性表示食品のパッケージには「機能性表示食品」であることの旨はもちろん、「この商品にはどんな成分が含まれ、どんな機能があるのか」「一日に摂取する目安量」「摂取をする上での注意事項」など、商品を販売する上で必要最低限の情報は記載されています。お客様にはパッケージを指し示しながら商品の説明をするとわかりやすく、後にお客様自身で再確認をしやすいのでおすすめです。

なお、**消費者庁Webサイトには機能性食品のパッケージに記載してある情報についての解説**が掲載されています。ぜひ参考にしてください。

■ 消費者庁Webサイト『「機能性表示食品」って何？』

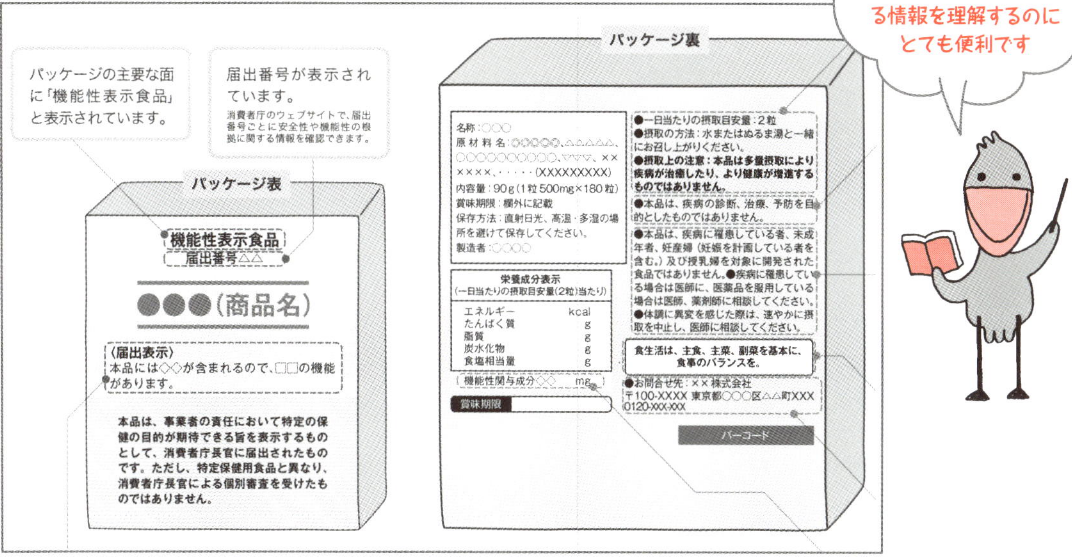

https://www.caa.go.jp/policies/policy/food_labeling/foods_with_function_claims/pdf/150810_1.pdf

機能性表示食品の情報はどこで調べるの？

2015年４月に機能性表示食品制度が始まってから、登録、販売される商品数は年々増加し続けています。機能性表示食品には国の審査がない分、なかには粗悪な商品も紛れ込んでいる可能性が指摘されています。**登録販売者は、商品を説明する立場として日頃から「プロの目」を養っておくことが重要**です。そのためには、商品のくわしい情報を知っておくことが大事です。

機能性表示食品のくわしい情報は、パッケージに表示されている「届出番号」をもとに、消費者庁のWebサイトの「機能性表示食品の届出情報検索」（https://www.fld.caa.go.jp/caaks/cssc01/）で情報を得ることができます。

ほかにも、商品についてお客様から質問を受けた際などに、商品名や成分名、機能性など、さまざまなキーワードですぐに検索することができるためとても便利です。パソコンやスマートフォンのブックマークに入れておきましょう。

5 紫外線ケアの基礎知識

夏には特にお客様からの質問が多い日焼け止めについて学びます。日焼けの原因や症状、意外と知られていない日焼け止めの選び方まで、店頭ですぐに役立つ知識を紹介します。

「サンタン」と「サンバーン」

もちろん日焼けはご存知ですよね？　紫外線を浴びすぎてヒリヒリ痛かったけど、落ち着いたら肌が黒くなってきた。そんな経験がだれでも一度はあるのではないでしょうか。実は日焼けには「**サンタン**」と「**サンバーン**」の２種類があります。

サンタン	皮膚が褐色に色づいた状態で痛みはほとんどない。紫外線を浴びると、表皮では肌を守るために黒色のメラニン色素がつくられる メラニン色素は紫外線を吸収し、皮膚の奥まで浸透することを防ぐ。肌を守るためのものがメラニン色素であるが、この作用により肌が褐色になる
サンバーン	強い紫外線を浴びたことでやけどのような炎症を起こした状態で、皮膚が赤くなり、ヒリヒリとした痛みがある 炎症の度合いがひどい場合には、発熱や水ぶくれなどの症状が現れる

■ 日焼けの原因、紫外線とは

紫外線は波長の長いものから順に、UV-A、UV-B、UV-Cの３種類に分けられます。

■ 紫外線と肌の関係

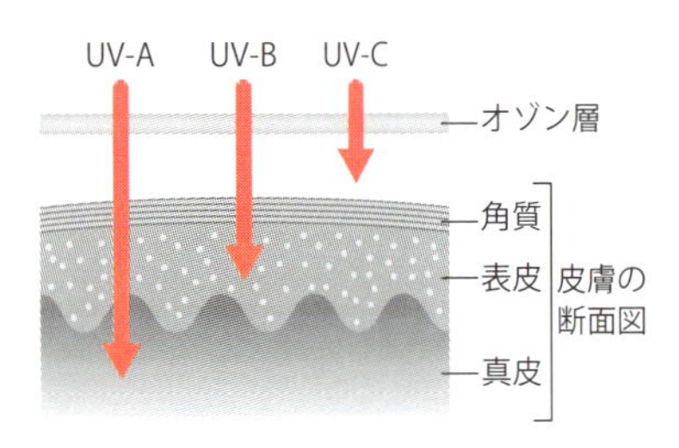

UV-A	地上に届く紫外線の約9割を占める。皮膚の深い部分（真皮）にまで到達し、サンタンを引き起こす。急激な炎症を起こすことはほとんどないが、長期間浴び続けると、しわやたるみの原因となる
UV-B	地上に届く紫外線の約1割を占める。UV-Aほど皮膚の深くまでは到達しないが、皮膚への影響が強いため、肌を傷つけ、サンバーンを引き起こす
UV-C	最も有害な紫外線であり、皮膚がんの原因になると言われているが、地球大気圏上部のオゾン層で吸収されるため、地上にはほとんど到達しない

紫外線の目への影響

日焼けといえば皮膚への影響ばかりを気にしがちですが、目にもかなりダメージを与えます。

雪目	強い紫外線を浴びた際に、目に起こる炎症。スキーや海水浴の後に起こりやすく、痛み、充血、まぶしさ、涙が止まらない、などの症状が現れる。通常は1～2日で自然に治る OTCでは効能に「雪目」や「紫外線などによる目の炎症」などの表示がされている商品が適している。紫外線によって引き起こされた炎症を抑える「硫酸亜鉛水和物」が配合された目薬などが代表的

■ 実は大事なサングラスの選び方

目を保護するために重要な役割を果たすサングラスですが、実は以下のポイントをおさえるとより効果が得られます。

ポイント1 UVカット効果	一見、サングラスのようでUVカット効果がないものも販売されているので要注意。必ず「90% UVカット」のように、UVカット効果がしっかりと表示されているものを選ぶ
ポイント2 サングラスの大きさ	紫外線は正面からだけ目に入ってくるわけではなく、あらゆる方向から入ってくる。レンズが小さいとカバーしきれない可能性があるため、目を十分に覆い、顔にフィットし隙間のできない大きさのレンズのものがベスト
ポイント3 レンズの色	サングラスの色が濃くてもUVカット効果が十分にない場合、光量が少ないため開いた瞳孔にたくさんの紫外線が入りこみ、サングラス着用が逆効果になる場合もある。サングラスはレンズの色よりも、紫外線カット効果を基準に選ぶことが重要

日焼け止めはどうやって選ぶ？

ここでは、日焼け止めの選び方の3つのポイントを紹介しましょう。

■ 紫外線吸収剤と紫外線散乱剤

販売されている日焼け止めは、紫外線に対する作用の仕方から紫外線吸収剤と紫外線散乱剤に分けられます。製品によって、どちらかのみを使用しているものと、両方を使用している場合があります。

<table>
<tr><td rowspan="3">紫外線吸収剤</td><td colspan="2">配合されている「吸収剤」が紫外線を吸収し、熱に変換して放出することにより、皮膚に紫外線が届かないようにするもの
「吸収剤」成分の例：メトキシケイヒ酸オクチル、t-ブチルメトキシジベンゾイルメタン、ジエチルアミノヒドロキシベンゾイル安息香酸ヘキシルなど</td></tr>
<tr><td>○</td><td>塗ったときに白くなりにくい、ムラになりにくい
紫外線防御力が高い</td></tr>
<tr><td>×</td><td>吸収剤の成分により、接触皮膚炎の原因となることがあるので、敏感肌の人には注意が必要</td></tr>
<tr><td rowspan="3">紫外線散乱剤</td><td colspan="2">皮膚の表面を覆った「散乱剤」が紫外線を反射・散乱させ、皮膚への紫外線の透過を防止するもの。パッケージには「紫外線吸収剤不使用」「紫外線吸収剤フリー」「ノンケミカル」などと記載されている
「散乱剤」の例：酸化チタン、酸化亜鉛など</td></tr>
<tr><td>○</td><td>敏感肌や子供にも使いやすい</td></tr>
<tr><td>×</td><td>塗ったときに白っぽくなることがある</td></tr>
</table>

■ SPF値

「SPF値」とは、主に**UV-Bを防ぐ効果を示す指標**です。何も塗らない場合に日焼けで皮膚が赤くなりはじめる時間にくらべて、日焼け止めを塗ることで何倍に延ばすことができるかを表しています。たとえば、日焼け止めを塗らない場合に10分で皮膚が赤くなる人が、SPF30の日焼け止めを塗ると、理論上は赤くなるまでの時間を10分×30＝300分に延ばすことができます。したがって、SPF値は数字が大きいほうがUV-Bからの防御効果が高くなります。

■ PA値

「PA値」とは、主に**UV-Aを防ぐ効果を示す指標**で、「＋」が増えるほどUV-Aからの防御効果が高くなります。

PA＋	効果がある
PA＋＋	かなり効果がある
PA＋＋＋	非常に効果がある
PA＋＋＋＋	極めて高い効果がある

■ 日焼け止めの選び方

お客様からなぜその商品を選んだのかを聞いたときに、より適した商品があれば説明や提案をしましょう。**お客様のニーズに合った日焼け止めは、使用者の年齢、体質、使用シーンなどによって異なる**ので、ここでもお客様との会話が大切な情報源になるのです。

■ 生活シーンに合わせた紫外線防止用化粧品の選び方

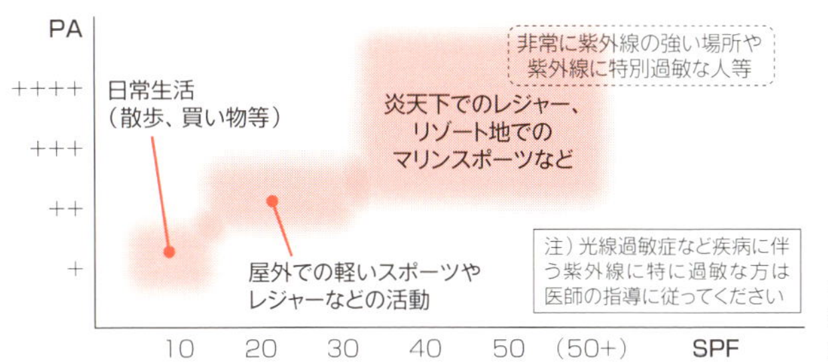

＊日本化粧品工業連合会Webサイトより
https://www.jcia.org/user/public/uv/prevent

SPF値が高いものは紫外線吸収剤が使われていることが多く、吸収剤が肌への負担になることもあります。外でのレジャーやスポーツにはSPF値が高いものをすすめますが、日常生活ではそこまで高いSPF値は必要ありません。特に肌が弱い人や小児には、紫外線散乱剤を使用した肌にやさしいものを選びましょう。

■ 何より大切なのは塗り方

日焼け止めは、購入したらおしまいではありません。販売時に塗る際の注意事項もお伝えしましょう。

- 塗りむらのないように、身体には手のひらで、顔には指を使って塗り拡げる
- 2～3時間おきに塗り直す
- きれいに落とす

このなかでも特に、**使用した後きれいに落とすということを忘れがち**です。塗ったままにしておくと肌への負担となり、肌荒れの原因となります。専用のクレンジング剤が必要になる商品もあるので、販売の際にはその確認もしておきましょう。

6 副作用に関する制度の基礎知識

登録販売者は一般用医薬品販売のプロフェッショナルです。
医薬品を販売することだけに力を注ぐのではなく、いざというときの
救済制度も理解し、必要があればお客様に説明することが大切です。

いざという時に役立つ知識を持とう

薬の成分や働きは一生懸命勉強していても、**副作用に関する知識は後回し**になってしまう人が多いようです。しかし、いざ起こってから調べていては対応が遅くなってしまいます。いますぐ役立つ知識ではなさそうなものも、いざという時には大切な知識になるのです。少しずつ覚えていきましょう。

医薬品副作用被害救済制度

「**医薬品副作用被害救済制度**」とは、医薬品を適正に使用したにもかかわらず、副作用によって、入院を必要とする程度の医療（入院治療が必要と認められる場合であって、やむを得ず自宅療養を行った場合も含まれる）を受ける場合や、副作用により重い後遺障害が残った場合、医療費等の給付を行い、これにより被害者の迅速な救済を図ろうという制度です。

■ ポイント①「医薬品を適正に使用したにもかかわらず」

医薬品を適正に使用したのに、重大な副作用が起こってしまった場合にはじめてこの制度が利用できます。「適正に使用した」とは、「添付文書の記載を守って使用した」ということになります。逆にいえば、添付文書通り使用しなかった場合、重大な副作用が起きたとしても制度の対象外となってしまいます。

■ ポイント②「入院を必要とする程度の医療を受ける場合、重い後遺障害が残った場合」

軽い副作用はこの制度の対象外となります。たとえば、抗ヒスタミン成分を服用し眠くなった、だけでは医療費等の給付はありません。制度を利用するには、**入院を必要とする旨が記された医師の診断書**が必要となります。

医療用医薬品はもちろん、一般用医薬品もこの制度の対象となるため、お客様か

ら相談を受けた際には、制度の説明や申請の方法など、必要な情報は提供しなければなりません。商品の外箱には「副作用被害救済制度の問合せ先」も明記されていますので、確認しておきましょう。

問合せ先の表示例

> **副作用被害救済制度のお問い合わせ先**
> （独）医薬品医療機器総合機構
> <電話> 0120-149-931（フリーダイヤル）

給付の請求を行うには

給付の流れ

給付の請求は、**副作用が起こった本人またはその遺族が直接PMDA**（医薬品医療機器総合機構）に行います。そのほかの代理人は認められていません。

ただし、請求すれば必ずお金が支払われるわけではなく、薬事・食品衛生審議会での審議を経て、厚生労働大臣が判定します。

請求の種類によって、提出する書類が異なりますのでPMDAのホームページでの確認や、病院に相談をするようにお伝えしましょう。

給付の請求には期限があります。医療費は支給の対象となる費用の支払いが行われたときから５年以内など、給付の種類ごとに請求期限がありますので、そのチェックも重要です。

お客様があなたの店で購入した一般用医薬品で被害が起こり請求を行う場合、その副作用の原因になったと思われる一般用医薬品の販売証明書を記入してお客様に渡す必要があります。販売証明書もPMDAのホームページにあるので、ダウンロードして使用します。

副作用救済給付用販売証明書

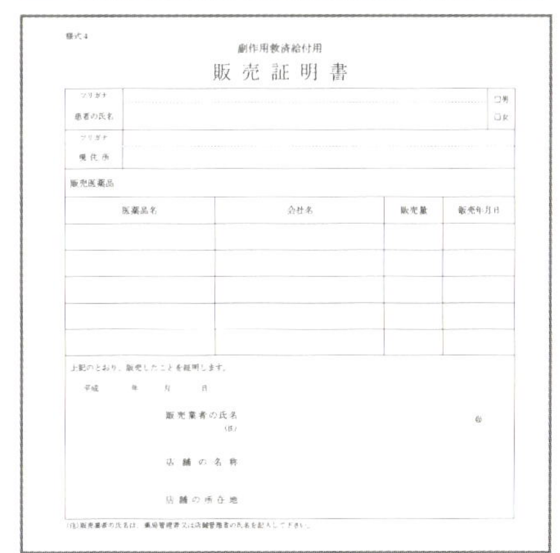

様式４

副作用救済給付用

販売証明書

フリガナ 患者の氏名		□男 □女
フリガナ 現住所		

販売医薬品

医薬品名	会社名	販売量	販売年月日

上記のとおり、販売したことを証明します。

平成　　年　　月　　日

販売業者の氏名（注）　　　　印

店舗の名称

店舗の所在地

（注）販売業者の氏名は、薬局管理者又は店舗管理者の氏名を記入してください。

PMDA副作用救済給付用販売証明書
https://www.pmda.go.jp/PmdaSearch/youshikiDownload/gyoumuSelDispList/21

■ もしかして副作用？と思ったら

医薬品は安全に使用していても副作用は出てしまうものです。

店舗に「薬を購入して飲んだが、なんだか調子が悪い」というお客様がいらしたとき、登録販売者としてどんな対応をしますか？

一般用医薬品では、使用を中止することによるデメリットよりも、重大な副作用を回避することが優先されるため、まずは「使用を中止して受診をしてもらう」ことです。薬を飲んだのに調子が悪いと訴える場合、症状が悪化している可能性や、薬による副作用の可能性を考えるべきです。

■ 医薬品安全性情報報告制度とは

「医薬品安全性情報報告制度」とは、**医薬品の副作用によるものと疑われる健康被害の発生を知った場合**に、その旨を**厚生労働大臣に報告する制度**です。すべての医薬関係者が報告の対象者となっており、もちろん登録販売者も報告が義務となっています。

この制度のポイントは、「副作用が疑われる事例」がすべて報告対象になるということです。お客様が訴える症状が薬の副作用によるものか否かは、医師でないと判断できません。私たちは、「もしかしたら」と思った段階で、厚生労働大臣に報告する必要があるのです。

■ なぜ報告しなければいけないの？

「A」という薬を服用し「皮膚に発疹が出た」というお客様がいたとしましょう。副作用かもしれない、と思い添付文書を確認しても、そのような記載はありませんでした。その際に厚生労働大臣への報告を怠ってしまうと、その症状が出たことはもちろん厚生労働省では把握できません。薬の副作用は、販売され、使用された後で発覚するものもたくさんあります。添付文書に載っていない副作用が起こる可能性が十分にあるということです。そのような副作用の発覚のきっかけとなるのが、医薬品安全性情報報告制度で報告された情報なのです。

そのときはわかっていなくても、もしかしたら「A」という薬には「皮膚に発疹が出る」という副作用があるかもしれません。疑いを感じた登録販売者すべてがきちんと報告をすれば、その副作用が出てしまう人が増える前に、添付文書の改訂などで使用するお客様に注意を促すことができます。医薬品の安全性を確保するための、大切な制度なのです。

■ 副作用を報告するには

先に述べたように、副作用の報告は厚生労働大臣に行います。実際には登録販売者からの報告は、厚生労働大臣からの委託業務を行うPMDA（医薬品医療機器総合機構）にすることとなります。

副作用の発生が疑われる症状を把握したら、PMDAのホームページから報告用紙を印刷し、記入します。ただし、**記入欄すべてに記入がなされる必要はなく、把握可能な範囲で報告しましょう**。

報告用紙は、医薬品、医療機器、再生医療等製品、医薬部外品・化粧品で分かれています。間違いのないように確認してから記入しましょう。

そのつどPMDAのホームページにアクセスして印刷をするのは大変ですし、後で、と思っていて、そのまま報告を忘れてしまうこともあります。可能であれば、前もって印刷をしておき、店舗にファイルをしておくと、すぐに記入することができるのでおすすめです。

PMDAへの報告書の提出は、郵送、FAX、電子メールのいずれかで行います。

■ 医薬品安全性情報報告書

別紙1　様式①

□ 医療用医薬品
□ 要指導医薬品
□ 一般用医薬品

医薬品安全性情報報告書
医薬品医療機器法に基づいた報告制度です。
記入前に裏面の「報告に際してのご注意」をお読みください。

化粧品等の副作用等は、様式②をご使用ください。健康食品等の使用によると疑われる健康被害については、最寄りの保健所へご連絡ください。

患者情報
患者イニシャル　性別 □男 □女　副作用等発現年齢　歳（乳児：　ヶ月　週）　身長　cm　体重　kg　妊娠 □無 □有（妊娠　週）□不明
原疾患・合併症 1. 2.　既往歴 1. 2.　過去の副作用歴 □無・□有 医薬品名： 副作用名： □不明　特記事項 飲酒 □有（　）□無 □不明 喫煙 □有（　）□無 □不明 アレルギー □有（　）□無 □不明 その他（　）

副作用等に関する情報
副作用等の名称又は症状、異常所見　副作用等の重篤性「重篤」の場合、＜重篤の判定基準＞の該当する番号を（　）に記入　発現期間（発現日 ～ 転帰日）　副作用等の転帰 後遺症ありの場合、（　）に症状を記入
1. □重篤→（　）□非重篤　年 月 日 ～ 年 月 日　□回復 □軽快 □未回復 □死亡 □不明 □後遺症あり（　）
2. □重篤→（　）□非重篤　年 月 日 ～ 年 月 日　□回復 □軽快 □未回復 □死亡 □不明 □後遺症あり（　）
＜重篤の判定基準＞①：死亡 ②：障害 ③：死亡につながるおそれ ④：障害につながるおそれ ⑤：治療のために入院又は入院期間の延長 ⑥：①～⑤に準じて重篤である ⑦：後世代における先天性の疾病又は異常　＜死亡の場合＞被疑薬と死亡の因果関係：□有 □無 □不明　＜胎児への影響＞□影響あり □影響なし □不明

被疑薬及び使用状況に関する情報
被疑薬（副作用との関連が疑われる医薬品の販売名）　製造販売業者の名称（業者への情報提供の有無）（□有□無）（□有□無）（□有□無）　投与経路　1日投与量（1回量×回数）　投与期間（開始日～終了日）　使用理由（疾患名、症状名）
最も関係が疑われる被疑薬に○をつけてください。
併用薬（副作用発現時に使用していたその他の医薬品の販売名 可能な限り投与期間もご記載ください。）
副作用等の発現及び処置等の経過（記入欄が不足する場合は裏面の報告者意見の欄等もご利用ください。）
年 月 日
※被疑薬投与前から副作用等の発現後の全経過において、関連する状態・症状、検査値等の推移、診断根拠、副作用に対する治療・処置、被疑薬の投与状況等を経時的に記載してください。検査値は下表もご利用ください。
副作用等の発現に影響を及ぼすと考えられる上記以外の処置・診断：□有 □無
有りの場合→（□放射線療法 □輸血 □手術 □麻酔 □その他（　））
再投与：□有 □無　有りの場合→ 再発：□有 □無　ワクチンの場合、ロット番号（　）
一般用医薬品の場合：購入経路→ □薬局等の店頭での対面販売 □インターネットによる通信販売 □その他（電話等）の通信販売 □配置薬 □不明 □その他（　）

報告日：　年　月　日（既に医薬品医療機器総合機構へ報告した症例の続報の場合はチェックしてください。→□）
報告者 氏名：　施設名（所属部署まで）：
（職種：□医師、□歯科医師、□薬剤師、□看護師、□その他（　））
住所：〒
電話：　FAX：
医薬品等副作用被害救済制度及び生物由来製品等感染等被害救済制度について：□患者が請求予定 □患者に紹介済み □患者の請求予定はない □制度対象外（抗がん剤等、非入院相当ほか）□不明、その他
※一般用医薬品を含めた医薬品（抗がん剤等の一部の除外医薬品を除く。）の副作用等による重篤な健康被害については、医薬品等副作用被害救済制度又は生物由来製品等感染等被害救済制度があります（詳細は裏面）。
➤ FAX又は電子メールでのご報告は、下記までお願いします。両面ともお送りください。
（FAX：0120-395-390 電子メール：anzensei-hokoku@pmda.go.jp 医薬品医療機器総合機構安全第一部情報管理課宛）

医薬品安全性情報報告書
https://www.pmda.go.jp/safety/reports/hcp/pmd-act/0002.html

付録 外国人のお客様への接客のポイント

近年、観光や留学などで日本に滞在する外国人が薬局やドラッグストアを訪れる機会が増えています。ここでは言葉や習慣の違いにあわてずに対応するためのポイントをまとめました。

言葉が通じなくても落ち着いて

外国語を話すお客様が来店されたらどう対応すればよいのでしょうか。もし、相手が慌てていたり、興奮気味だったら気持ちが焦って接客どころではないかもしれません。

お客様が外国人でも、人と人とのコミュニケーションに変わりはありません。必ずお店を訪れた理由があるはずです。まずはこちらが落ち着いて、意思を通じ合わせる準備をしましょう。

大切なことは2つ、「**笑顔で対応**」「**アイコンタクトをとる**」です。外国の人は日本人に対して、「無表情で何を考えているかわからない」という印象を持っていることがあります。笑顔で接することで、心を開いてくれる可能性が高まります。また、外国ではアイコンタクトはマナーのひとつです。きちんと相手の目をみて話しかけることが「あなたに関心を持っていますよ」というメッセージになります。

コミュニケーションツールを準備しておく

とはいえ、医薬品の販売ではお客様の訴えの意味を正しく理解して、適切な薬を提案しなくてはなりません。そこでコミュニケーションを円滑に行うために下記のような**ツールを用意しておくとよい**でしょう。

●外国語の基本会話集

英語、韓国語、中国語（簡体字）、中国語（繁体字）などを基本に、東南アジアの各言語などの**簡単な会話の例文**が載った書籍を用意しておくとよいでしょう。

→本書170ページからの「4言語対応・症例指さしシート」、本書172ページからの「4言語対応・接客基本会話」も活用してください。

●スマートフォンの翻訳アプリ

手持ちのスマートフォンに各国語対応の日本語との**翻訳アプリ**をインストールしておき、ふだんから使い方を練習しておくといざというときの対応に役立ちます。

●各国大使館の連絡先のメモ

緊急の事態にそなえて、各国の**大使館の電話番号を控えたメモ**を用意しておくとよいでしょう。

薬の説明はできるだけ正確・ていねいに

お客様の求める薬がわかれば、あとはふだんどおりに薬を提案し、その用法・用量、副作用、飲み合わせなどについて説明します。たとえ身振り手振り、片言の外国語であっても、準備したツールを活用して、正確に、ていねいに説明しましょう。薬によっては一部の**添付文書が英語など外国語対応になっているもの**もあります。可能な場合はそれを示すのも手段として有効でしょう。

■ 英文の記載のある添付文書の例

Please be sure to read the instructions carefully before use.
Store this instruction leaflet in a safe place for later reference.

For sore throat, cough, runny nose

PABRON S GOLD W TABLETS

Ambroxol Hydrochloride and L-Carbocisteine Compound<COLD MEDICATION>

◆"PABRON S GOLD W TABLETS" are a compound of 5 active ingredients including ambroxol hydrochloride and L-Carbocisteine. A cold medication that is effective on 11 symptoms associated with the common cold, such as sore throat, cough, and runny nose.
It is suitable for family use.

CAUTIONS FOR USE

(To be avoided!) Be sure to read this!

(Failure to observe the following may result in the cold symptoms worsening or adverse reactions/accidents occurring.)

1. This medication should not be used by the following persons
(1) Persons who experience an allergic reaction to this medication or any component of this medication
(2) Persons who suffer from asthma after using this medication or any other cold remedies or anti-pyretics and analgesics
2. This medication should not be used in combination with the following medications
Oral medicines containing other cold remedies, anti-pyretics and analgesics, sedatives, cough and expectorant remedies, or antihistamines (oral medications for nasal catarrh, motion sickness, or anti-allergic agents, etc.)
3. Do not drive or operate machinery after using this medication. (It may cause drowsiness, etc.)
4. Nursing women should either not take the medication or stop nursing while taking the medication.
5. Do not consume alcohol before or after taking this medication.
6. Do not use this medication for a prolonged period of time.

(Consult a physician for the following)

1. The following persons should consult a physician, pharmacist, or registered distributor of the

経験を積めば不安は解消

外国人のお客様に対して、ていねいな対応をこころがけるあまりゆっくりとした接客をしていると、急にお客様がイライラしはじめたという経験をした登録販売者がいます。日本人のお客様にはていねいな接客と感じられても、外国人の方には「買い物をしにきたのだから、早く品物を渡して欲しい」と感じる人がいるようです。

このように、実際にコミュニケーションをとってみないとわからないことはたくさんあります。外国語が苦手だからと話しかけずにいれば、いつまでたっても経験値は上がりません。積極的にコミュニケーションをとれば、多くの気づきを得ていつの間にか**不安も解消されていることでしょう**。

4言語対応 症例指さしシート

英語、韓国語、中国語（簡体字）、中国語（繁体字）の4言語に対応した、症例を聴き取るためのシートです。
頭部と全身にわけて本書掲載の主な症状を記載していますので、症状を聴き取る際の参考としてください。

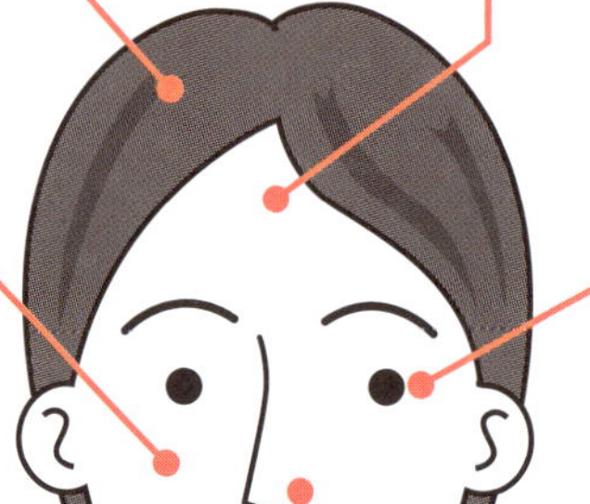

● 頭痛 →P46、56

英	Headache
韓	두통
中(簡)	头疼
中(繁)	頭痛

● 緊張型頭痛・片頭痛 →P56

英	Tension headache/migraine
韓	긴장성두통 · 편두통
中(簡)	紧张型头疼・偏头痛
中(繁)	緊張型頭痛・偏頭痛

● 発熱 →P46、56

英	Fever
韓	발열
中(簡)	发烧
中(繁)	發燒

● 肌荒れ・にきび・しみ・そばかす →P134

英	Dry skin/acne/liver spots/freckles
韓	피부 트러블 · 여드름 · 기미 · 주근깨
中(簡)	皮肤粗糙・粉刺・褐斑・雀斑
中(繁)	肌膚粗糙・痘痘・肝斑・雀斑

● 歯痛 →P56

英	Toothache
韓	치통
中(簡)	牙疼
中(繁)	牙痛

● 口内炎、歯茎からの出血 →P134

英	Mouth ulcer/bleeding from the gums
韓	구내염 , 잇몸 출혈
中(簡)	口炎、牙龈出血
中(繁)	口內炎、牙齦出血

● 咳・痰・のどの痛み →P46

英	Coughing/phlegm/throat pain
韓	기침 · 가래 · 목 통증
中(簡)	咳嗽・痰・喉咙痛
中(繁)	咳嗽・痰・喉嚨痛

● 湿疹・かぶれ・虫さされ・あせも・乾皮症 →P96

英	Eczema/rash/bug bite/heat rash/xeroderma
韓	습진 · 접촉피부염 · 벌레 물림 · 땀띠 · 건조증
中(簡)	湿疹・斑疹・蚊虫叮咬・痱子・干皮症
中(繁)	濕疹・斑疹・蚊蟲叮咬・汗疹・乾皮症

● 鼻炎 →P114

英	Rhinitis (nasal inflammation)
韓	비염
中(簡)	鼻炎
中(繁)	鼻炎

● 鼻水・鼻づまり・くしゃみ →P46

英	Nasal mucus/stuffy nose/sneezing
韓	콧물 · 코막힘 · 재채기
中(簡)	鼻涕・鼻塞・喷嚏
中(繁)	鼻水・鼻塞・噴嚏

● かすみ目 →P124

英	Blurred vision
韓	눈이 침침함
中(簡)	视力模糊
中(繁)	視力模糊

● 目の乾き（ドライアイ） →P124

英	Dry eyes
韓	안구 건조 (드라이 아이)
中(簡)	眼睛干（干眼症）
中(繁)	眼睛乾燥（乾眼症）

● 疲れ目（眼精疲労） →P124

英	Strained (tired) eyes
韓	눈의 피로 (안정피로)
中(簡)	眼睛疲劳
中(繁)	眼睛疲勞

● 目の充血 →P124

英	Bloodshot eyes
韓	눈의 충혈
中(簡)	眼睛充血
中(繁)	眼睛充血

● 目の痒み →P124

英	Itchy eyes
韓	눈 가려움증
中(簡)	眼睛痒
中(繁)	眼睛癢

● ものもらい・結膜炎 →P124

英	Sty/Conjunctivitis (pink eye)
韓	다래끼 · 결막염
中(簡)	针眼・结膜炎
中(繁)	針眼・結膜炎

全身

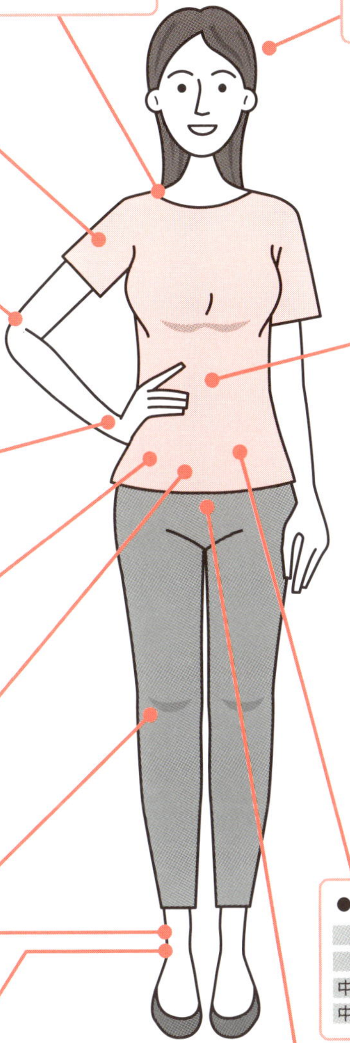

●首のこり・肩こり→P56、106、134
- 英 Stiffness of the neck or shoulders
- 韓 목 결림 · 어깨 결림
- 中(簡) 脖子酸疼・肩膀酸疼
- 中(繁) 肩頸痠痛

●筋肉痛→P56、106
- 英 Muscle pain
- 韓 근육통
- 中(簡) 肌肉疼
- 中(繁) 肌肉痛

●テニス肘→P106
- 英 Elbow pain (“tennis elbow”)
- 韓 상과염 (테니스엘보)
- 中(簡) 网球肘
- 中(繁) 網球肘

●腱鞘炎→P106
- 英 Tendonitis
- 韓 건초염
- 中(簡) 腱鞘炎
- 中(繁) 腱鞘炎

●腰痛→P56、106
- 英 Back pain
- 韓 요통
- 中(簡) 腰疼
- 中(繁) 腰痛

●便秘→P88
- 英 Constipation
- 韓 변비
- 中(簡) 便秘
- 中(繁) 便秘

●関節痛→P56、106
- 英 Joint pain
- 韓 관절통
- 中(簡) 关节疼
- 中(繁) 關節痛

●打撲・捻挫→P106
- 英 Bruising/sprain
- 韓 타박 · 염좌
- 中(簡) 瘀伤・扭伤
- 中(繁) 瘀傷・扭傷

●肉体疲労・滋養強壮→P134
- 英 Physical fatigue/nutrition
- 韓 육체피로 · 자양강장
- 中(簡) 身体疲劳・营养强壮
- 中(繁) 身體疲勞・滋養強壯

●胃の痛み→P66
- 英 Stomach pain
- 韓 위 통증
- 中(簡) 胃疼
- 中(繁) 胃痛

●胃もたれ・胸やけ・消化不良・腹部膨満感→P66
- 英 Indigestion※/heartburn/bloating
- 韓 더부룩함 · 속쓰림 · 소화불량 · 복부팽만감
- 中(簡) 胃积食・烧心・消化不良・腹胀
- 中(繁) 胃積食・胃灼熱・消化不良・腹部膨脹感

●食欲不振→P66
- 英 Loss of appetite (anorexia)
- 韓 식욕부진
- 中(簡) 食欲不振
- 中(繁) 食慾不振

●悪心・嘔吐→P66
- 英 Nausea/vomiting
- 韓 오심 · 구토
- 中(簡) 恶心・呕吐
- 中(繁) 噁心・嘔吐

●下痢・過敏性腸症候群→P78
- 英 Diarrhea/irritable bowel syndrome
- 韓 설사 · 과민대장증후군
- 中(簡) 腹泻・肠易激综合症
- 中(繁) 腹瀉・腸易激綜合症

●月経痛→P56
- 英 Menstrual pain
- 韓 생리통
- 中(簡) 痛经
- 中(繁) 月經痛

●月経不順→P134
- 英 Menstrual irregularity
- 韓 생리불순
- 中(簡) 月经失调
- 中(繁) 月經不順

※英訳では胃もたれと消化不良は同一の訳語になります

イントロダクション
第1章
第2章
第3章
付録

4言語対応 接客基本会話

英語、韓国語、中国語（簡体字）、中国語（繁体字）の4言語に対応した、聴き取りや薬の飲み合わせなどを説明するための文章です。

●接客基礎用語

日本語	英語	韓国語	中国語（簡体字）	中国語（繁体字）
おはようございます	Good morning	안녕하세요	早上好	早安
こんにちは	Hello	안녕하세요	您好	您好
こんばんは	Good evening	안녕하세요	晚上好	晚上好
いらっしゃいませ	Thank you for coming	어서오세요	欢迎光临	歡迎光臨
何をおさがしですか	What are you looking for?	찾으시는 게 있으세요？	请问您在找什么?	請問您在找什麼呢？
少々お待ちください	Please wait a moment	잠시만 기다려 주세요	请稍等	請稍待
よろしいでしょうか	Is this alright?	괜찮으신가요？	您看这样可以了吗	您看這樣可以了嗎
お大事に	Take care	몸조리 잘하세요	请保重身体	請保重
はい	Yes	네	是	是
いいえ	No	아니오	不是	不是
病院（歯医者）に行って診察を受けて下さい	Please visit a hospital (dentist) for a consultation	병원(치과의)에 가셔서 진찰을 받아 주세요	请到医院（牙医）接受检查	請您去醫院（牙醫）接受診治
病院（歯医者）までの案内図をお渡しします	I will give you directions to the hospital (dentist)	병원(치과의) 가시는 길 안내도를 드립니다	给您前往医院（牙医）的地图	我給您張去醫院（牙醫）的路線圖
この紙（本）を使って会話します	I will use this paper (book) to communicate	이 종이(책자)를 사용해서 대화합니다	用这张纸（本书）对话	使用這張紙（這本書）進行對話
スマートフォンの翻訳アプリを使って会話します	I will use a smartphone translation app to communicate	스마트폰 번역 앱을 사용해서 대화합니다	以智能电话的翻译APP对话	使用智慧型手機的翻譯軟體進行交談
どのようなお薬をお探しですか	What kind of medicine are you looking for?	어떤 약을 찾으시나요?	您需要什么药呢	請問您在找怎樣的藥呢？
体のどこの調子がよくないのですか	Where on your body are you feeling ill?	몸 어디가 안 좋으세요?	身体哪里不舒服呢	身體的哪裡不舒服呢？
あなた自身がお薬をお使いになるのですか	Will you be using the medicine yourself?	본인께서 약을 사용하실 건가요？	是您自己要吃的药吗	是您本人要使用的藥嗎？

日本語	英語	韓国語	中国語（簡体字）	中国語（繁体字）
お薬をお使いになる人は次のどれに該当するか、教えてください	Please tell me what kind of person will be using the medicine	약을 사용하실 분이 다음 중 어디에 해당하는지 알려주세요	要吃药的人，请问有符合下列项目的吗	若有以下的任何人欲用藥，請告知我
私、父、母、子供	Myself, father, mother, child	나, 아버지, 어머니, 아이	我、父亲、母亲、孩子	我、父親、母親、孩子
あなたは持病をおもちですか	Do you have any specific health issues?	본인께서는 지병이 있으신가요?	请问您有宿疾吗	請問您患有宿疾嗎？
具合の悪い所をこの図で指さしてください	Please indicate on this drawing where you feel ill.	상태가 나쁜 곳을 이 그림에서 손가락으로 가리켜 주세요	请在这个图上指出不舒服的地方	請在此圖指出不舒服之處
このお薬は1日に1回使用します	Take this medicine 1 time a day	이 약은 1일 1회 사용합니다	这种药1天使用1次	本藥品一日使用1次
このお薬は1日に（　）回使用します	Take this medicine ( ) times a day	이 약은 1일 ( ) 회 사용합니다	这种药1天使用（　）次	本藥品一日使用（　）次
このお薬は（　）日に1回使用します	Take this medicine once every ( ) days	이 약은 ( )일 1회 사용합니다	这种药（　）天使用1次	本藥品（　）日使用1次
発作時や症状のひどいときに飲用してください	Take this medicine during an outbreak or when your symptoms are severe	발작을 일으키거나 증상이 심해질 경우 복용하세요	请在发作時或症状严重时服用	請於發作時或症狀嚴重時服用
食前（食後）に飲用してください	Take this medicine before (after) meals	식전 (식후)에 복용하세요	请在饭前（饭后）服用	請於餐前（餐後）服用
1回（　）錠（カプセル、包）を使用して下さい	Take ( ) pills (capsules, packages) at a time ※1個の場合は（Take 1 pill [capsule, package] at a time）	1회 ( )정(캡슐, 포)를 사용하세요	1次请吃（　）片（颗、包）	1次使用（　）碇（膠囊、包）
水と一緒に飲用してください	Take this medicine with water	물과 함께 복용하세요	请和水一起飲用	請和水一同服用
このお薬は液剤（シロップ剤）なので、注いで飲用してください	This is liquid medication (syrup), so please pour it out and drink it	이 약은 액체(시럽제)이므로 부어서 복용하세요	本药是液体药剂（糖浆），请直接倒入口中服用	本藥品為液態藥水（糖漿劑），請小心服用
このお薬を使用する際、他の薬を一緒に使用しないで下さい	Do not take this medicine together with other medicine	이 약을 사용할 때 다른 약과 함께 사용하지 마세요	使用这种药时，请不要和其他药一起使用	使用本藥品時，請勿與其他藥品同時服用
この注意書きをよく読んで下さい	Please read these instructions carefully	이 주의사항을 꼼꼼히 읽어 주세요	请仔细阅览本使用说明	請詳細閱讀此注意說明

日本語	英語	韓国語	中国語（簡体字）	中国語（繁体字）
いつから具合が悪いのですか	Since when have you been feeling ill?	언제부터 상태가 나빠졌나요?	从什么时候开始不舒服	從何時開始不舒服呢
急に	Suddenly	갑자기	突然	突然
数時間前から	A few hours ago	몇 시간 전부터	从几个小时前开始	幾小時前
昨日	Yesterday	어제	昨天	昨天
数日前	A few days ago	며칠 전	几天前	幾天前

持病

日本語	英語	韓国語	中国語（簡体字）	中国語（繁体字）
心臓病	Heart disease	심장병	心脏病	心臟病
高血圧	High blood pressure	고혈압	高血压	高血壓
喘息	Asthma	천식	哮喘	氣喘
胃潰瘍	Stomach ulcers	위궤양	胃溃疡	胃潰瘍
腎臓病・肝臓病	Kidney or liver disease	신장질환·간질환	肾脏病・肝脏病	腎臟病・肝臟病
痛風	Gout	통풍	痛风	痛風
糖尿病	Diabetes	당뇨병	糖尿病	糖尿病
甲状腺機能障害	Thyroid disorders	갑상선 기능 장애	甲状腺功能障碍	甲狀腺機能障礙
前立腺肥大症による排尿困難	Difficulty urinating due to an enlarged prostate	전립선 비대증으로 인한 배뇨곤란	前列腺肥大症导致的排尿困难	攝護腺肥大症所引起的排尿困難
透析を受けている	Undergoing dialysis	투석을 받고있는	正在接受透析	正在接受透析
血栓症	Thrombosis (blood clots)	혈전증	血栓症	血栓症
アレルギー体質	Allergic reactions	알레르기 체질	过敏性体质	過敏體質

店内に各国語版の
薬の名称などを書いた
ポップなど貼っておくと
いいかもしれません

困ったり焦ったり
している時だからこそ
自国語の案内があると
安心するかも！

●使用者の状態や年齢の確認

日本語	英語	韓国語	中国語（簡体字）	中国語（繁体字）
高齢者	An elderly person	고령자	高龄者	高齡者
妊婦	A pregnant woman	임산부	孕妇	孕婦
授乳婦	A nursing mother	수유부	哺乳期妇女	哺乳婦
乳児	An infant	유아	婴儿	嬰兒
15歳未満	A child under the age of 15	15세 미만	未满15岁	未滿15歲
12歳未満	A child under the age of 12	12세 미만	未满12岁	未滿12歲
7歳未満	A child under the age of 7	7세 미만	未满7岁	未滿7歲
5歳未満	A child under the age of 5	5세 미만	未满5岁	未滿5歲
2歳未満	A child under the age of 2	2세 미만	未满2岁	未滿2歲

●薬の名称

日本語	英語	韓国語	中国語（簡体字）	中国語（繁体字）
かぜ薬	Cold remedies	감기약	感冒药	感冒藥
解熱鎮痛薬	Antipyretic analgesics (fever-reducer and pain-reliever)	해열진통제	解热镇痛药	解熱鎮痛藥
胃腸薬	Gastrointestinal medicine	위장약	肠胃用药	胃腸藥
整腸薬・止瀉薬	Intestinal regulators and anti-diarrheals	정장제·지사제	整肠药・止泻药	整腸藥・止瀉藥
便秘薬	Laxatives	변비약	便秘药	便秘藥
湿疹・皮膚炎用薬	Products for eczema and dermatitis (topical use)	습진·피부염용 약	湿疹・皮炎用药	濕疹・皮膚炎用藥
外用消炎鎮痛薬	Analgesics, antiphlogistics	외용소염진통제	外用消炎镇痛药	外用消炎鎮痛藥
鼻炎用薬	Nasal inflammation medicine	비염용 약	鼻炎用药	鼻炎用藥
点眼薬（目薬）	Eye drops	점안약(안약)	点眼药（眼药）	點眼液（眼藥水）
ビタミン剤	Vitamin preparations	비타민제	维生素剂	維他命劑

●著者
高橋　伊津美（たかはし　いづみ）
昭和大学大学院薬学研究科卒。
調剤薬局、ドラッグストアにて実務経験を積み、昭和大学薬学部にて講師として勤務。
学生への指導を通じて教育への関心が高まり、2010年より日本薬業研修センター講師として全国の薬剤師、登録販売者への研修を始め、コミュニケーションに関する講演を数多く行っている。

編集協力 ● 株式会社 桂樹社グループ
装丁 ● 林 偉志夫
本文デザイン ● 中田聡美
イラスト ● 矢寿ひろお
● 卯坂亮子

現場で差がつく！
ユーキャンの新人登録販売者お仕事マニュアル 第2版

2019年 1 月18日 初版　第 1 刷発行
2022年 9 月30日 第2版 第 1 刷発行

著　者　高橋　伊津美
編　者　ユーキャン登録販売者実務研究会
発行者　品川泰一
発行所　株式会社 ユーキャン 学び出版
〒151-0053
東京都渋谷区代々木1-11-1
Tel 03-3378-2226
編　集　株式会社 桂樹社グループ
発売元　株式会社 自由国民社
〒171-0033
東京都豊島区高田3-10-11
Tel 03-6233-0781（営業部）
印刷・製本　シナノ書籍印刷株式会社

※落丁・乱丁その他不良の品がありましたらお取り替えいたします。お買い求めの書店か自由国民社営業部（Tel 03-6233-0781）へお申し出ください。
　ISBN 978-4-426-61439-3